D1592275

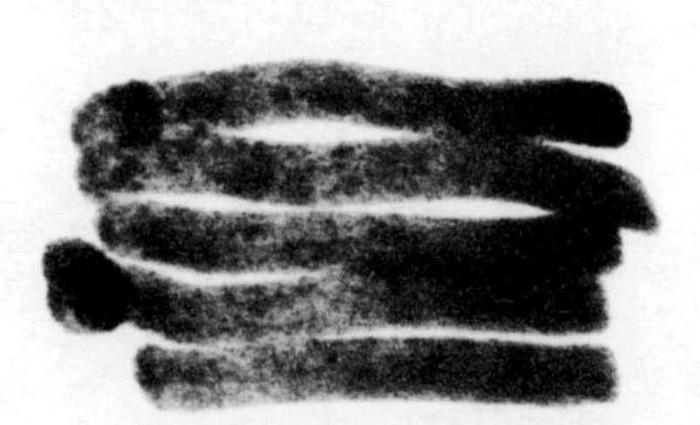

LA COCINA FAMILIAR

EN EL ESTADO DE

HIDALGO

Hidalgo

LA COCINA FAMILIAR EN EL ESTADO DE HIDALGO

CONACULTA OCEANO

LA COCINA FAMILIAR
EN EL ESTADO DE HIDALGO

Primera edición: 1988
Banco Nacional de Crédito Rural, S.N.C.
Realizada con la colaboración del Voluntariado Nacional y de las Promotoras Voluntarias del Banco Nacional de Crédito Rural, S.N.C.

Segunda edición: 2001
Editorial Océano de México, S.A. de C.V.

Producción:
Editorial Océano de México, S.A. de C.V.

Editorial Océano de México, S.A. de C.V.
Eugenio Sue 59
Col. Chapultepec Polanco, C.P. 11500
México, D.F.

ISBN
Océano: 970-651-485-6
970-651-450-3 (Obra completa)
CONACULTA: 970-18-6207-4
970-18-5544-2 (Obra completa)

Impreso y hecho en México.

LA COCINA FAMILIAR EN EL ESTADO DE

Hidalgo

PRESENTACIÓN 9

INTRODUCCIÓN 11

RECETAS

I. ANTOJITOS 17
Tamales de Xantolo 18
Tamales de pescado
Tamales navideños
Tamales de escamoles 19
Indios de epazote con chamarra
Longaniza al estilo de Actopan
Pastes de Pachuca 20
Quesadillas de pancita
Tacos de chicharrón 21
Torta huasteca
Torta de cuitlacoche 22
Empanadas de masa y chícharo
Enchiladas de pulque

II. CALDOS, SOPAS Y ARROCES 23
Caldo de habas 24
Sopa de elote
Sopa de avena
Sopa de queso
Sopa de quelites 25
Sopa de frijol con rombitos de tortilla
Sopa de tortillas
Sopa de chayote 26
Pascal de frijol tierno
Sopa mexicana
Arroz verde 27
Arroz con gallina

III. PESCADOS Y VERDURAS 29
Camarones a la jardinera 31
Pescado con espinacas y queso
Pescado excélsior
Pescado a la crema 32
Mojarras en salsa de naranja
Croquetas de atún
Bagres adobados de Mixquiahuala 33
Chayotes exquisitos
Chayotes rellenos
Tortas de flores de maguey 34
Cuitlacoche
Calabacitas a la mexicana
Chilacayotes a la mexicana 35
Nopalitos a la mazapil
Frijoles ayocotes en mole
Alberjones con nopalitos 36
Coliflor con aguacates
Hongos a la mexicana
Papas con hongos 37
Tortas de flores de garambullo

IV. AVES Y CARNES 39
Pollo a la mexicana 41
Mixiotes de pollo con nopalitos
Gallina en chichimeco
Ajo-comino de gallina 42
Pollo en hongos
Huilotas almendradas
Chichicuilotes con hongos 43
Xala al estilo Metztitlán
Tortolitas al estilo Hidalgo
Ardillas en mixiote 44
Carne de puerco con quelites
Cerdo con elotes y rajas

Lomo relleno 45
Pipián verde
Conejo enchilado
Zacahuil 46
Asado al pastor
Barbacoa de mixiote 47
Pancita de res en mole rojo con xoconostles

V. PANES, DULCES Y POSTRES 49
Pan de pulque 50
Tortitas de harina
Gorditas de Tulancingo
Gorditas de pinole 51
Pastel de nopal
Galletas de nata
Pepitorias al estilo de Actopan
Pastelitos de mermelada 52
Palanquetas de nuez 52
Dulce de pera
Flores de palma en almíbar
Mermelada de piña, manzana, naranja y coco 53
Condumbios de cacahuate
Arroz con leche a la manera antigua
Merengues de chocolate 54
Ungui al estilo de Hidalgo

DE COCINA Y ALGO MÁS

Festividades 55
Glosario 59
Nutrimentos y calorías 62
Equivalencias 63

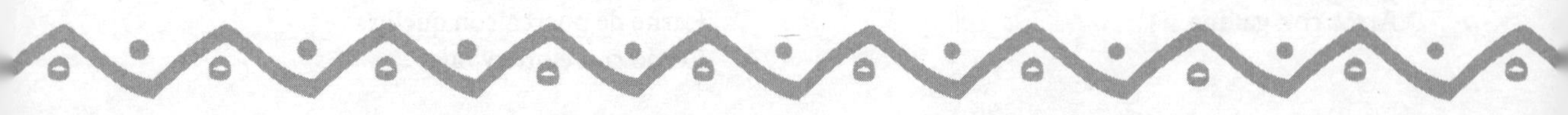

Presentación

La Comida Familiar Mexicana fue un proyecto de 32 volúmenes que se gestó en la Unidad de Promoción Voluntaria del Banco de Crédito Rural entre 1985 y 1988. Sería imposible mencionar o agradecer aquí a todas las mujeres y hombres del país que contribuyeron con este programa, pero es necesario recordar por lo menos a dos: Patricia Buentello de Gamas y Guadalupe Pérez San Vicente. Esta última escribió en particular el volumen sobre la Ciudad de México como un ensayo teórico sobre la cocina mexicana. Los textos históricos y culinarios, que no las recetas recibidas, varias de ellas firmadas, fueron elaborados por un equipo profesional especialmente contratado para ello y que encabezó Roberto Suárez Argüello.

Posteriormente, hace ya más de seis años, BANRURAL traspasó los derechos de esta obra a favor de CONACULTA con el objeto de poder comercializar el remanente de libros de la primera edición, así como para que se hicieran nuevas ediciones de la misma. Esta ocasión llega ahora al unir esfuerzos CONACULTA con Editorial Océano. El proyecto actual está dirigido tanto a dotar a las bibliotecas públicas de este valioso material, como a su amplia comercialización a un costo accesible. Para ello se ha diseñado una nueva edición que por su carácter sobrio y sencillo ha debido prescindir de algunos anexos de la original, como el del calendario de los principales cultivos del campo mexicano. Se trata, sin duda, de un patrimonio cultural de generaciones que hoy entregamos a la presente al iniciarse el nuevo milenio.

Los Editores

Introducción

En vano he nacido,
en vano he llegado
aquí a la tierra,
sufro.
Pero al menos he venido,
he nacido en la tierra.

Cantaba el otomí, peregrinando por las zonas desérticas, mientras los huastecos disfrutaban su tierra fecunda y rendían pleitesía a Pulic-Minlab, dueño de la naturaleza, que para ellos era de fértiles lomeríos de tierras húmedas con extensos pastizales.

Esa situación de contraste ha sido característica geográfica sobresaliente en Hidalgo, ejemplos extremos son el árido Valle del Mezquital, al oeste, y la Huasteca feraz, al norte de la entidad. La tierra determinó el poblamiento y las actividades de los hombres. Mientras algunos grupos étnicos luchaban por arrancar al polvo una brizna de alimento, unas cuantas gotas de agua, otras saciaban la sed y el hambre sin preocuparse demasiado. Fue hacia el año 1500 a.C. En el abrupto contraste se forjaron los pobladores nativos; duro, áspero, rudo, con la fortaleza adquirida a fuerza de ser apenas un hombre-superviviente, el otomí. La palabra significa, en nahua, grosero. Burdo.

En la fresca serranía habitaban los afortunados. Podían cultivar maíz y frijol, disfrutaban de la flor del quelite y de la calabaza, de los hongos que brotaban a la sombra de árboles generosos; tan generosos que, con sus maderas, aquellas etnias construyeron jícaras, cucharas, cunas y mesas, bateas y bancos. Tenían sitio para dormir con placidez, sabían comer con gusto. En sus casas había incluso un pequeño tapanco en el que se almacenaba la cosecha del grano mitológico, el dorado maíz. Los otomíes, en cambio, debían protegerse para resistir el sol ardiente, el aire polvoriento, las noches frías. Arrancaban trabajosamente el quelite, el nopal, el maguey y sus gusanos, la punta del juache. Se desplazaban entre las grietas y la aridez de la tierra reseca. Comprendían bien el valor del aguamiel y la tuna.

En área tan difícil se fueron desarrollando algunos grupos humanos vinculados con otros asentamientos mesoamericanos. Durante el esplendor de la cultura teotihuacana –100 a 650 de nuestra era–, la región recibió la civilizada influencia de manera directa, como se puede apreciar en Tepeapulco y Zacuala. Pero la decadencia de Teotihuacán coincidió con una serie de migraciones norteñas de nahuas, que fijaron su residencia en la zona hidalguense y entraron en contacto con los teotihuacanos del último periodo. Hacia el siglo x d.C. irrumpieron en la Mesa Central los grupos chichimecas del caudillo Mixcóatl y establecieron su capital en Culhuacán, desde donde emprendieron campañas de conquista en direcciones distintas, abarcando los valles de México, Toluca y el Mezquital.

Corresponde a Ce Acatl-Topiltzin-Quetzalcóatl, hijo de Mixcóatl, la consolidación del reino tolteca. Fundó su capital en Tulancingo alrededor de 927 d.C., y de ahí partió hacia Tollan –Tula –, sitio en el que arquitectos, escultores y pintores nonoalcos desarrollaron su arte, resistente a las incurias del tiempo y siempre abierto a la imaginación. Creció entonces el imperio tolteca en todas direcciones y estableció diversos vínculos con otras manifestaciones sociales mesoamericanas, lo que dio como resultado una cultura nueva que se propagó hasta la costa del Golfo de México, Yucatán, Oaxaca, Chiapas y Centroamérica.

El auge del imperio trajo un equilibrio en la forma de vida de los nativos, en su habitación, en su vestimenta y, por supuesto, en su alimentación. Las tortillas encontraron al nopal, el nopal al chile, el nopal y el chile al molcajete; la comida se pudo bañar con aguamiel, se acompañó con atolli de maíz, endulzado con miel de avispa, postre suculento y nada fácil de obtener. El taparrabos de aquellos hombres se volvió menos parco, más limpio; su piel se suavizó. Habían restañado sus heridas, habían dejado de morir jóvenes, seguramente antes de los treinta años; tenían al fin tiempo para pensar, para crear.

Y, sin embargo, hacia el siglo XI sobrevino la destrucción de Tula, probablemente a causa de una combinación de factores: las luchas internas entre los partidarios de un régimen teocrático y los que se inclinaban por la dirección militar, agravadas por la llegada a la región de nuevos grupos chichimecas, quienes, a su vez, fueron sojuzgados, alrededor del siglo XIII, por mexicas y acolhuas.

Un pueblo rendido entrega tributo; se enviaban, por lo tanto, pacas de chile, de ixcatl (algodón silvestre) y trojes de maíz y frijol a México-Tenochtitlan, cuyo poderío se consumó en territorio hidalguense. Sólo algunos señoríos, como el de Metztitlán y Huejutla, conservaron cierta autonomía hasta la llegada de los españoles.

Cuando Cortés fue derrotado en Tenochtitlán, pasó por Apan en su amarga retirada; dejó ahí algunos hombres. Fue por ello que Pedro Rodríguez de Escobar asumió para la Corona, hacia 1530, los tributos que antes recibían los mexicas.

Entre 1527 y 1536 se inició la evangelización del territorio. Franciscanos y agustinos se asentaron en Zempoala, Tizayuca, Tlanalapan, Tepeapulco, Apan, Tulancingo, Metztitlán, Ixmiquilpan y Actopan. Paralelamente el sistema de encomiendas se fortaleció en varios puntos de la zona y, a la vez, se activó el intercambio entre lo indígena y lo español.

Fue precisamente en Tepeapulco donde los misioneros, apoyados por los estancieros, formaron una zona ganadera y quizá dio principio así el gustoso proceso regional de la comida mestiza; el zacahuil se rellenó de carne de cerdo y se doró en manteca batida; los piquis y los bocoles o el mole de frijol ayocote se enriquecieron con la pimienta, el chorizo, el chicharrón o el aceite de oliva.

Los xoconostles, propios de la zona árida del territorio, se acomodaron con la pancita y el conejo se aliñó con cominos y laurel. Las flores de garambullo y de calabaza se ligaron al huevo y al aceite o a la manteca, y se hicieron acompañar de frijoles quebrados y tortillas blanquísimas.

La época colonial redescubrió las minas de oro y plata. Se establecieron reales de minas, famosos por su abundante producción, como el de Real del Monte y Pachuca. La riqueza que generaron fue inmensa, pero precaria la vida de sus trabajadores; cientos de hombres terminaron su existencia, enfrentados a explosiones e inhalaciones tóxicas, en el intento de arrancar a la tierra los metales que atesoraba. Se establecieron horarios laborales de dieciséis horas y no había descansos en las peligrosas penumbras. Para los mineros se ajustó una nueva forma de alimentarse: un atolli de maíz con chile, una tortilla con frijoles o quizá con nopales, y agua. Al caer rendidos por la noche, atole otra vez, a sorbitos.

En la mesa de los grandes señores solía haber manteles largos y en platones de oro y plata se disfrutaban ya las suculencias de la nueva cocina: el cerdo relleno con almendras, pasas y tunas, y adornando con nopales; la quesadilla agregada con la flor de calabaza; el arroz con salsa verde y roja. Las tórtolas sabían mejor hervidas con laurel, pimienta, cebollas y un poco de aguamiel para quitarles lo reseco. A los conejos se agregó una guarnición de quelites y pronto se aprendió a distinguir los hongos, pues hay los que no deben comerse y los que, además, son rituales, sagrados, alucinantes.

El misionero sirvió al indígena y se sirvió de él; le enseñó su cultura y aprendió la suya. En las cocinas de conventos y claustros se forjó un nuevo mundo, conjunción de lo encontrado y lo traído. Surgió, por ejemplo, el miahuatamalli hecho con trigo en vez de maíz, o a la tlaxcalmimilli que es una tortilla blanca, gorda y alargada, cubierta de carne deshebrada de res sobre la que se vierten salsas de tomate o jitomate, se pican la cebolla, el cilantro, el perejil y la lechuga, y se rocía un poco de aceite de oliva, todo lo cual se cristianiza al fin y se llama salpicón. La vida colonial transcurrió con ritmo y caracteres diferentes en las variadas regiones hidalguenses. En cuanto a su jurisdicción, pertenecieron éstas primero a la Provincia de México y, a fines del siglo XVIII, a la Intendencia del mismo nombre. Mientras en las zonas mineras prosperó la población de origen español y en otras se levantaron conventos como centros de evangelización, hubo zonas que permanecieron indígenas, aisladas, y conservaron su lengua, otomí, náhuatl o huasteca.

En 1810, la insurgencia de los criollos fue bienvenida por indígenas y mestizos; tenían sus vidas para ofrendar a la patria, pero también el oro, la plata y el ganado del área. Los Villagrán de Huichapan, Julián y su hijo Francisco, "Chito", se adhirieron desde el primer momento al movimiento de Independencia que encabezó Hidalgo, así como el cura de Nopala, José Manuel Correa, y José Francisco Osorno.

La situación de emergencia modificó, en buena medida, los hábitos culinarios de la población. Cuando se preparaba comida, había que hacerlo para conservarla largo tiempo. Más que antes quizá, el cerdo se convirtió en carnitas y chicharrón; la insurgencia se volvió a nutrir con los ingredientes indígenas, maíz, frijol, calabaza, chile, tortillas.

La cocina colonial tornó al anafre, al comal, al aventador; los tazones y copas se redujeron a jarros de barro, los platones a cazuelas. Los vinos fueron sólo el aguamiel o el pulque curado con frutas –cuando las había– los hongos se tomaban del monte y tal vez por ello se inventó la moneda de plata para su cocción, lo que supuestamente evitaba sus peligros. Fueron años de lucha que contrajeron lógicamente la economía y las posibilidades de la región, aunque finalmente, en 1821, se consumó la Independencia.

Las actividades recuperaron poco a poco su ritmo habitual. Los mineros volvieron a los socavones, pero ahora bajo el mando inglés. A tiempo lento se recuperó el hato ganadero, se volvió a sembrar maíz, frijol, chile, calabaza, se criaron cerdos y gallinas y las vacas otra vez fueron aptas para la ordeña. Los frailes volvieron a hacer mantequilla y queso y las monjas a discurrir dulces deliciosos. Por su parte, los ingleses introdujeron en las minas su manera de alimentarse, mas sus pasteles de carne o de riñones se convirtieron en breve en "pastes", invento que dejó sumamente satisfechos a los mineros y a los dueños de las minas.

Con el México independiente arribaron también los problemas de un país que buscaba encontrarse y definirse por sí mismo; fueron décadas de difíciles ajustes, duros tiempos teñidos de sangre: primero la pugna entre federalistas y centralistas; después la intervención americana de 1847, que terminó en la región gracias a las fuerzas del general Francisco de Garay y luego, por largos años, la cruenta disputa entre conservadores y liberales que dio origen a las guerras de Reforma en 1857 y la intervención francesa en el año de 1862.

En junio de 1862, ya con los franceses encima, el presidente Juárez decretó la creación del Segundo Distrito Militar, con jurisdicción en Hidalgo; Maximiliano, a su vez, dividió el país en cincuenta departamentos, tres de los cuales fueron Huejutla, Tula y Tulancingo.

Las circunstancias hacían la vida cada vez más insegura. Las amenazas del exterior, las luchas internas, propiciaron en la zona la función de numerosas postas, paraderos y fondas que atendían las cortas rutas comerciales. Aquel pueblo de mineros, ganaderos y agricultores ofrecía seguridad a bala limpia, pues los frecuentes bandoleros daban fuertes dolores de cabeza –y de bolsillo– a hacendados y mineros. En las postas se ofrecía lo que hubiere. A más de estirar las piernas y desempolvarse, en los minutos escasos que duraba el cambio de caballos podía encontrarse un buen cocido, un arroz "a la mexicana", el indispensable pulque de la región y algún postre sencillo.

Pero en las zonas urbanas, sobre todo entre las clases más o menos pudientes, arraigaban las crepas, los licores espirituosos, los antes, la lengua de vaca au vin. Los conventos produjeron entonces bombones con el mexicanísimo chocolate y no tardaron en descubrir cómo bañar con él a la pequeña pastelería francesa. El jerez fino convivió con el "Cordon Rouge", mientras hacía su aparición la moda de acudir a las chocolaterías y a todas horas se tomaba la caliente y espumosa bebida. Muchas vajillas no fueron ya de barro ni de cerámica de Talavera, sino francesa, y los cristales se esmerilaron.

Pese a todo, también se deshojaban gustosamente los mixiotes de conejo, se mordisqueaban las palanquetas de azúcar o piloncillo o los jamoncillos de pepita de calabaza, y no se había perdido el gusto por los buenos chorizos, morcillas y catalanas para dar sabor al caldo de la gallina tierna, después del cual podía paladearse un lechón en barbacoa.

Al triunfo de la República se creó finalmente el Estado de Hidalgo, según decreto del 15 de enero de 1869. Y luego fueron llegando, lentamente, los tiempos de la consolidación de las actividades económicas y una mayor tranquilidad, así fuese aparente, en la vida diaria. El régimen de Porfirio Díaz introdujo mejoras materiales, como los ferrocarriles y los telégrafos, e intensificó la explotación minera, si bien las características de tal desarrollo tuvieron bases endebles: el predominio extranjero en la economía y la falta de libertades políticas para los ciudadanos. En los primeros años del siglo xx, la industria minera casi en su totalidad estaba en manos norteamericanas.

En 1910, las continuas reelecciones presidenciales y la profunda desigualdad social dieron origen a un sísmico movimiento social que, en breve, adquirió enormes proporciones: la Revolución Mexicana. Iniciada por Madero en el norte del país, se extendió con gran rapidez. A la caída de Díaz y después de la presidencia y muerte de Madero, mártir limpio, sobrevino la usurpación de Victoriano Huerta en 1913. Tal hecho, favorecido por el capital extranjero, provocó nuevos levantamientos en innumerables puntos de la república. Constitucionalistas, villistas y zapatistas entablaron una lucha que se prolongó por varios años, hasta lograrse al cabo cierta estabilidad con la promulgación de la Constitución de 1917.

El territorio hidalguense y sus hombres fueron protagonistas de primera línea en esa lucha, que si bien fue necesaria y reivindicativa, trajo necesariamente, otra vez, la ruina económica de la entidad. Se abandonó el trabajo en las minas y en los campos, a lo cual se agregó el derrumbe del mercado mundial de la plata en 1920 y cabe considerar que el metal argentífero fue siempre producto esencial en la entidad y en la economía mexicana. Al término de la década de los veinte, el Estado de Hidalgo finalmente pudo entrar en una etapa de paz y consolidación, lo que le ha permitido mantener hasta la fecha un desarrollo, lento a veces, nunca fácil, pero constante, siempre sostenido por la tenacidad y esfuerzo de sus habitantes.

Las minas son hoy riqueza nacional; las de Hidalgo contribuyen a que el país posea un lugar primerísimo como productor de plata, y el oro de sus entrañas apoya también vigorosamente el erario nacional; el ganado bravo y de cría llega a muchos lugares… En fin, vale decir que visitar Hidalgo es un auténtico placer. Muchas actividades ofrece su territorio –desierto y vergel–; se puede, por ejemplo, redescubrir su larga historia, visitar sus ruinas imponentes y los bellísimos rincones, hay paseos irrepetibles…

Entre los muchos atractivos que encuentra el viajero, no es el menor el de disfrutar sus guisos, surgidos de un múltiple intercambio de productos y recetas, y convertidos en tesoros familiares. Debe decirse que, en Hidalgo, se preparan y sirven banquetes y golosinas con la misma sencillez con la que se disfruta el aire. Su gastronomía es, pues, digna y alta.

Son cinco las secciones que componen el recetario familiar hidalguense. En ellas se encuentran muchísimos platillos de la mesa cotidiana –los hay buenos, los hay mejores y los hay notables– y también se reflejan las excelencias culinarias de los días festivos, lujos y alegrías de la familia o de la región.

La primera sección o apartado, **Antojitos**, expresa de entrada las peculiaridades estatales, los contrastes geográficos, la suma de culturas. Va, de tal modo, de unos tamales con una pizca de origen latino (los de Xantolo), a exóticos guisos sajones o a una deleitosa e hispánica longaniza. En **Caldos, sopas y arroces**, segundo apartado, el mestizaje se percibe claro –igual una sopa de avena frita en mantequilla que un pascal nativo de tiernos frijoles bayos– y algunas recetas se pueden calificar como ejemplares.

Pescados y verduras, es decir la sección tercera, resulta sorprendente. Si la adaptación de las recetas marítimas a zonas intrépidas y lejanas es interesante, el sabio aprovechamiento de los frutos del huerto y el encuentro de los de tierras áridas con los de terrenos fértiles, se vuelve tema que expresa una manera de vivir. E igual el apartado siguiente, **Aves y carnes**, en el cual aparecen además varias fórmulas complicadísimas, algunas imponentes, y en general muy sabrosas, enseñando de amplia manera al aprovechamiento de varias especies, aladas y terrestres.

Panes, dulces y postres, última sección, recorre un mundo encantado. Se descubre en él, de modo fundamental, el aprovechamiento de los ingredientes autóctonos. Hay, por ejemplo, un estupendo pan de pulque, un importante pan de nopal, unas flores de palma en almíbar, pero igual se encuentran delicadas galletas de nata o volanderos merengues de chocolate. Se trata, así, de un amable apartado, verdaderamente dulce.

I
ANTOJITOS

Buena muestra de apetencias y exquisiteces, sumamente elaboradas en ocasiones, ofrece la selección de recetas de la mesa familiar hidalguense. La recia tradición indígena se refleja, desde el mismo principio, en la riqueza de sus tamales. Cuatro ejemplos se proponen. Los de Xantolo (que se preparan para la conmemoración de los difuntos, pues Sanctorum Omnium –Todos Santos– se transformó en Xantolo) llevan chile chino o morita y carne de puerco y pollo; se envuelven en hoja de plátano.

Relleno admirable es la hueva de hormiga, o sea los famosos escamoles, y con ovas tan refinadas se preparan unos excelentes tamales, aunque en ellos la mezcla no se hace con masa de maíz, sino con chiles verdes, ajos, cebollas, nopales, orégano y sal. Sumamente meritorios tierra adentro, los tamales de pescado –sin especificar la especie– tampoco utilizan masa, pero conservan la carne en buen estado por más tiempo y se envuelven en hojas de maíz.

Para los tiempos decembrinos, días de posadas y cánticos, ¿qué mejor que unos tamales navideños? Preparación barroca y dulce muy apreciado, a la masa de nixtalmal hay que añadir, picados en pequeños trozos, caña de azúcar, tejocotes, jícama, guayaba: teñir luego con betabel o incorporar coco rallado y pasas. Se envuelve la festiva y coloreada preparación en hojas de maíz.

Herencia de las compañías mineras inglesas, la versión que se ofrece de los pastes de Pachuca (del inglés paste, pasta) transforma los pasteles originarios, rellenos de riñones de res, en unas ricas empanadas de filete y chile serrano. En las quesadillas de pancita, en cambio, se da más hondamente la integración de culturas; a la masa nativa hay que sumar pancita picada e hígado de carnero, cocido y picado, sin que falte el queso, el huevo y la manteca.

El buen pulque local da fuerza y sabor a unas notables enchiladas que se redondean con queso y chorizo –bien valen, por sí solas, un viaje a la región– y con chícharos aromados por hierbabuena se rellenan unas sustanciosas empanadas regionales, de masa de maíz, dignas también de saborearse.

Los indios de epazote con chamarra –tal es la denominación– encubren unas quesadillas aromatizadas con epazote y envueltas –de ahí la chamarra– por el capeado de huevo. Viene luego la sugerencia para disfrutar unos sencillos tacos de chicharrón y chile cascabel –riquísimos– que se sirven con lechuga y queso.

De gran formalidad, cocina más complicada –antojos de mucho comer, budines únicos– y gusto notable, son las dos tortas que enseguida se presentan. En ambas las tortillas dan consistencia y el horno el punto y calor adecuados. La huasteca, entre sus múltiples ingredientes, demanda chiles anchos y pasilla, ajonjolí, especias y pulpa de cerdo. La de cuitlacoche, el exquisito hongo del maíz, no olvida el epazote ni el chile verde y tiene por cimera una apetitosa capa de turrón dorado. Magnífica preparación.

Termina bien el apartado de los antojitos hidalguenses con la fórmula de una longaniza al modo del bello pueblo de Actopan, justamente afamada por su gusto a cominos, clavos y orégano.

El plato que ya comí, mas que lo "lamban" los chuchos

Tamales de Xantolo

1 k masa
1/2 k carne de pollo y de puerco (cocida)
250 g manteca
· chile chino (morita)
· hojas de plátano
· sal, al gusto

- Batir la masa con sal y manteca. Remojar y moler los chiles, sin semillas. Cortar la carne de pollo y de puerco en trozos; agregar el chile.
- Pasar las hojas de plátano por el fuego y cortarlas; extenderlas una por una; ponerles encima masa, chile con carne y enrollarlas.
- Acomodar los tamales sobre una parrilla, en una olla de barro grueso con agua en el fondo; tapar con hojas de plátano y cocer durante cuarenta y cinco minutos.
- Rinde 8 raciones

Receta de Silvia Téllez Pimentel

Tamales de pescado

1 k filete de pescado
1/2 k jitomates picados
5 dientes de ajo
2 cebollas picadas
2 limones (el jugo)
· aceite de oliva
· hojas de maíz remojadas y escurridas
· orégano
· sal y pimienta, al gusto

- Cortar el filete en trozos y marinarlo con limón, sal y pimienta.
- Freír los ajos, la cebolla y el jitomate; dejar sazonar.
- Poner raciones de pescado sobre cada hoja de tamal, un poco de salsa y orégano.
- Amarrar los tamales y cocerlos en vaporera durante treinta minutos.
- Rinde 8 raciones

Receta de Ma. del Rosario Figueroa

Tamales navideños

1 k masa de nixtamal
100 g coco rallado
100 g pasas
1 1/2 tazas de manteca
1 taza de azúcar
1 taza de caldo de pollo
2 cucharadas de anís
1 cucharada de polvo para hornear
20 tejocotes
10 cáscaras de tomate
2 cañas sin cáscara
2 manzanas amarillas
4 guayabas
1 jícama
1 trozo de betabel

- Hervir las cáscaras de tomate y el anís en dos tazas de agua; colar.
- Batir la masa con azúcar y polvo para hornear; derretir la manteca e incorporarla a la mezcla anterior.
- Agregar el caldo, el agua de las cáscaras de tomate y anís; revolver constantemente.
- Picar las cañas y las demás frutas en trozos chicos.
- Hervir el betabel, molerlo y añadirlo a la masa para darle color rosa.
- Incorporar la fruta; agregar el coco rallado y las pasas; revolver bien.
- Poner una cucharada grande de masa en cada hoja y envolver.
- Acomodar los tamales en una vaporera y cocerlos durante media hora a fuego moderado.
- Rinde 10 raciones

Receta de Elva Alvarado Flor

Tamales de escamoles

- *1 k* *escamoles limpios*
- *1/2 k* *mantequilla*
- *3* *nopales medianos, cortados en tiras*
- *3* *ramas de epazote*
- *2* *cebollas medianas*
- *1* *cabeza de ajo*
- · *chiles verdes*
- · *hojas de maíz, remojadas y escurridas*
- · *hojas de orégano*
- · *sal, al gusto*

❦ Mezclar los escamoles con ajo, cebolla, los chiles finamente picados, orégano y sal.

❦ En cada hoja de maíz verter dos cucharadas grandes de la preparación anterior, dos tiras de nopal, una hoja de epazote y mantequilla.

❦ Amarrar y acomodar en una vaporera; cocer durante veinte minutos.

❦ Rinde 10 raciones

Receta de Irene Estrada Martínez

Indios de epazote con chamarra

- *1/2 k* *jitomate*
- *1/2 k* *masa para tortillas*
- *250 g* *queso fresco*
- *1* *cucharada de harina*
- *10* *ramas de epazote*
- *5* *chiles verdes*
- *2* *dientes de ajo*
- *2* *huevos*
- · *aceite*
- · *cebolla*
- · *sal y pimienta al gusto*

❦ Moler el epazote con un diente de ajo, sal y pimienta y revolver con la masa. Hacer tortillas y cocerlas en comal.

❦ Moler jitomate, un diente de ajo, cebolla y chiles; preparar una salsa espesa.

❦ Batir los huevos e incorporar la harina.

❦ Partir las tortillas a la mitad, ponerles una rebanada de queso, pasarlas por el huevo y freírlas en aceite caliente. Antes de servir, darles un hervor en la salsa de jitomate.

❦ Rinde 6 raciones

Receta de Minerva Rojas

Longaniza al estilo de Actopan

- *2 k* *pierna de cerdo molida*
- *1* *cucharadita de orégano*
- *1/2* *cucharadita de cominos*
- *1/2* *litro de vinagre*
- *15* *chiles anchos*
- *12* *pimientas*
- *10* *clavos*
- *8* *dientes de ajo*
- *1* *tripa de cerdo (lavada con agua de sal)*
- · *sal, al gusto*

❦ Desvenar los chiles y remojar en vinagre; molerlos con ajo, comino, clavo, pimienta y sal al gusto.

❦ Agregar la carne y el orégano; revolver (dejar reposar doce horas).

❦ Rellenar la tripa de cerdo (picarla con una aguja donde se formen bolsas de aire).

❦ Amarrar con un hilo y dejarla orear durante veinticuatro horas.

❦ Rinde 15 raciones

Receta de Ma. de la Luz Campos

Pastes de Pachuca

500 g harina
175 g manteca
1/4 litro de pulque
1 cucharadita de sal
1 huevo
· leche

• Relleno
250 g filete de res
250 g papa
50 g mantequilla
1/4 litro de caldo
1 cucharada de perejil picado
2 chiles serranos en escabeche, picados
2 poros
1 cebolla
· sal y pimienta, al gusto

- Cernir la harina con la sal; agregar el huevo, la manteca y el pulque necesario hasta formar una masa suave.
- Extender la masa con rodillo y dejarla de medio centímetro de grosor; cortarla en ruedas.
- Rellenar cada rueda y doblar como empanada.
- Colocarlas en moldes engrasados; dejar reposar dos horas; humedecer con leche y cocer en el horno a calor regular.
- Rinde 6 raciones

Relleno
- Freír en mantequilla la cebolla y los poros rebanados, el filete cortado en pequeños cuadros y las papas crudas cortadas en tiras muy finas; agregar caldo, sal y pimienta.
- Cocer a fuego lento, hasta que se reseque; añadir el perejil finamente picado y los chiles.

Receta de Marta Saldaña M.

Quesadillas de pancita

250 g masa de maíz
50 g queso fresco rallado
1 cucharada de harina de trigo
1 cucharada de polvo para hornear
1 cucharada de manteca
1 huevo
· aceite
· sal, al gusto

• Relleno
250 g jitomate picado
250 g pancita picada
150 g hígado de carnero (cocido y picado)
3 chiles serranos picados
2 dientes de ajo picados
1 cebolla picada
· sal, al gusto

- Revolver la masa con el huevo, manteca, harina de trigo, queso, polvo para hornear y sal al gusto; amasar (agregar un poco de agua tibia, en caso necesario).
- Hacer las tortillas y rellenarlas; doblar y freír.
- Para preparar el relleno se fríen ajos, cebolla, jitomate, la pancita y el hígado; agregar los chiles y sal. Dejar espesar.
- Rinde 6 raciones

Receta de Blanca Reyes Arce

Tacos de chicharrón

250 g jitomate asado
100 g chicharrón desmenuzado
50 g queso rallado
25 g chile cascabel
18 tortillas
2 dientes de ajo
· aceite
· hojas de lechuga
· sal, al gusto

- Dorar el chile, eliminar las semillas y moler con el jitomate y los dientes de ajo; sazonar con sal al gusto.
- Freír en aceite caliente y hervir unos minutos; agregar el chicharrón.
- Freír las tortillas ligeramente y rellenarlas con la preparación anterior.
- Acomodarlas sobre un platón, bañarlas con la salsa sobrante y decorar con queso y lechuga. Servir.
- Rinde 6 raciones

Receta de Hortensia Magallanes

Torta huasteca

150 g manteca
100 g queso añejo
50 g mantequilla
1/2 tortilla frita
1/4 bolillo frito
1 cucharada de ajonjolí tostado
1 cucharada de azúcar
1/8 cucharadita de anís
24 tortillas
12 semillas de cilantro
5 chiles anchos
4 pimientas chicas
3 chiles pasilla
2 huevos
1 clavo
1 diente de ajo
1 raja de canela
· caldo
· pan molido
· sal, al gusto

· Relleno
300 g pulpa de cerdo cocida
200 g jitomate
25 g pasitas
1 cucharada de azúcar
1 cucharada de vinagre
10 almendras
3 pimientas
1 cebolla
1 clavo
1 diente de ajo
1 hoja de laurel

- Tostar el ajonjolí; molerlo con las especias, tortilla y pan fritos y los chiles (desvenados, tostados y remojados).
- Freír en dos cucharadas de manteca; agregar media taza de caldo, sazonar con sal y azúcar; dejar en el fuego hasta que espese.
- Engrasar un molde refractario con mantequilla, cubrirlo con pan molido; colocar una capa de tortillas fritas y mojadas en la salsa de chile, una de relleno, una de huevo batido y queso, y así sucesivamente. La última capa debe ser de tortillas y huevo.
- Hornear a 200°C, durante quince minutos.
- Rinde 6 raciones

Relleno
- Cocer el jitomate y molerlo con especias, ajo y cebolla; freír.
- Agregar la carne deshebrada, pasas, almendras picadas, vinagre y hojas de laurel. Sazonar con sal y una cucharada de azúcar.
- Retirar del fuego cuando se reseque.

Receta de Guillermina Estrada Flores

Torta de cuitlacoche

750 g	*jitomate*
250 g	*queso rallado*
250 g	*manteca*
100 g	*chiles verdes*
1/4	*litro de crema*
2	*cucharadas de harina*
18	*tortillas*
6	*cuitlacoches grandes*
6	*dientes de ajo*
3	*huevos*
1	*cebolla grande*
1	*rama de epazote*
·	*sal, al gusto*

- Picar los cuitlacoches, un jitomate, un diente de ajo, cebolla y epazote.
- Freír todo junto y sazonar con sal; tapar y dejar cocer.
- Para preparar la salsa se deben asar los chiles y el resto del jitomate; moler con los demás ajos y sal; freír en dos cucharadas de manteca.
- Freír ligeramente las tortillas en manteca caliente (sin dejarlas dorar); pasarlas por la salsa y colocar una capa en un recipiente refractario; añadir queso, crema y una capa de cuitlacoche.
- Colocar otra capa de tortillas (ligeramente fritas y pasadas por la salsa,) queso, crema y cuitlacoche, y así sucesivamente hasta terminar con una capa de tortillas sin salsa.
- Cubrir con el huevo batido a punto de turrón y mezclado con harina. Hornear hasta que la torta dore.
- Rinde 6 raciones

Receta de Magdalena Salinas García

Empanadas de masa y chícharo

3/4 k	*masa para tortillas*
500 g	*chícharos*
50 g	*queso*
2	*cucharadas de manteca*
2	*ramas de hierbabuena*
1	*chile verde*
1	*cebolla*
·	*sal, al gusto*

- Cocer los chícharos y molerlos con chile, hierbabuena y sal; incorporar la cebolla finamente picada, queso rallado y manteca; revolver.
- Hacer tortillas con masa, rellenarlas con la pasta de chícharo; doblarlas como empanadas y cocerlas en comal.
- Rinde 6 raciones

Receta de Gabriela Valenzuela

Enchiladas de pulque

180 g	*manteca*
100 g	*queso fresco*
50 g	*chile ancho*
50 g	*chile mulato*
50 g	*chile pasilla*
50 g	*queso rallado*
1/8	*litro de pulque*
18	*tortillas fritas*
3	*dientes de ajo*
1	*cebolla*
1	*chorizo*
1	*huevo*
·	*hojas de lechuga*

- Asar, remojar y moler los chiles con cebolla, ajo, queso, pulque y el huevo. Freír la mezcla en dos cucharadas de manteca.
- Freír aparte el chorizo en el resto de la manteca e incorporarlo a la preparación anterior.
- Rellenar las tortillas; doblarlas a la mitad y colocarlas en un platón. Espolvorear queso rallado y adornar con hojas de lechuga.
- Rinde 6 raciones

Receta de Marisa Ojeda Montes

Caldos, Sopas y Arroces

II
CALDOS, SOPAS Y ARROCES

Una atractiva docena de recetas ofrece la comida familiar hidalguense en este apartado. Inicia la serie un reconfortante caldo de habas, que aunque se conoce y reconoce como platillo para los días de vigilia, conviene paladear con mayor frecuencia. Así de bueno resulta. La sopa de elote, con su porción de leche y mantequilla, es otro alimento reconfortante.

La fórmula de una poco usual y nutritiva crema de avena se presenta enseguida. Viene después una llenadora sopa de papas y quelites, propia de regiones semiáridas, de magnífico sabor, con su queso añejo rallado. Prosigue la receta de la deleitosa sopa de frijoles, en una versión que le añade rombitos de tortilla dorados en aceite, con el gusto impar que proporcionan el epazote y el nevado corolario, otra vez, del queso añejo rallado.

La sopa de chayote es un breve tratado que enlaza el Viejo y el Nuevo Continente; al suave fruto, molido y sazonado con perejil, hay que añadir trozos flotantes de pan frito. La sopa de tortillas, en cambio, con su absoluto sabor nacional, se ofrece en deleitosas tiritas fritas, sazonando el caldo con chile poblano y epazote y, por supuesto, con queso rallado bien esparcido sobre la humeante superficie.

El caldo sustancioso y espeso que es el pascal se sugiere en la versión seleccionada, entre las propuestas por la mesa de Hidalgo, con frijol bayo (tierno), flores de izote (los pétalos), ajonjolí y chayotes. El punto que da la masa de maíz, la hierbabuena y el cilantro, hace de este guiso un excelente platillo regional. Merecedor, por ello, de amplio reconocimiento.

Sopa mexicana es el nombre de una preparación a base de cuadritos de tortillas y acelgas picadas, cuyo secreto estriba en el caldo de gallina que la sustenta. La fórmula es sencilla y sabrosa. Acto seguido se sugiere una sopa de queso sumamente interesante; en ella, a más de la cebolla finamente picada, un par de yemas pasadas por un colador dan mayor fuerza al caldo.

Entre las "sopas secas", el arroz es fórmula central de la cocina en México, con lo cual su gastronomía le guiña un ojo y avecina al Oriente lejano. El par de arroces con que obsequia Hidalgo al lector es verdaderamente florido. El arroz verde, no tan seco, y bien coloreado por los chiles poblanos no es frecuente, pero hace un plato francamente apetitoso. Y el que lleva una gallina cortada en piezas –fórmula final de esta sección–, y se moldea "en forma de corona" alrededor de la dorada ave y abundante familia de verduras que la acompaña (zanahorias, nabo, apio, chícharos), es tan propicio al paladar, que con arroz tal y demás compañía pueden disfrutarse largas veladas. Muchas e inolvidables.

Siete virtudes tiene la sopa:
quita el hambre, la sed apoca,
ayuda a dormir, no cuesta digerir,
barata es, nunca te enfada
y pone la cara colorada.

Caldo de habas

300 g habas
300 g jitomate asado, molido y colado
2 cucharadas de manteca
3 dientes de ajo
2 hojas de hierbabuena picadas
1 cebolla
1 ramita de cilantro picada
· sal y pimienta, al gusto

- Cocer las habas con ajo y cebolla en un litro y medio de agua (hasta que las habas se deshagan).
- Freír el jitomate en manteca; cuando espese, agregar las habas coladas con el caldo en que se cocieron.
- Añadir cilantro, hierbabuena, sal y pimienta al gusto.
- Dejar hervir hasta que el caldo se espese. Servir.
- Rinde 6 raciones

Receta de Ma. del Socorro Valencia

Sopa de elote

30 g mantequilla
1 1/2 tazas de leche
2 cucharadas de cebolla picada
1 cucharada de harina
2 elotes tiernos
· sal y pimienta, al gusto

- Desgranar los elotes y cocerlos en tres tazas de agua; moler.
- Acitronar la cebolla en mantequilla; agregar harina y, antes de que dore, añadir leche y dos tazas de agua.
- Hervir unos minutos e incorporar los elotes molidos con el agua en que se cocieron. Sazonar con sal y pimienta.
- Rinde 6 raciones

Receta de Eufemia Martínez Galán

Sopa de avena

150 g queso manchego
50 g mantequilla
6 tazas de caldo
1/2 taza de avena
1/2 taza de crema
1 yema de huevo
· sal y pimienta, al gusto

- Freír la avena en mantequilla hasta que se dore.
- Agregar el caldo y cocer durante veinte minutos a fuego suave. Sazonar con sal y pimienta.
- Servir la sopa con la yema diluida en el caldo, crema y queso.
- Rinde 6 raciones

Receta de Cristina Díaz Barriga de Gutiérrez

Sopa de queso

200 g queso
75 g mantequilla
1 1/2 litros de caldo
2 cucharadas de harina
2 cebollas finamente picadas
2 huevos duros
· sal y pimienta, al gusto

- Acitronar la cebolla en mantequilla; agregar la harina y el caldo; dejar hervir a fuego suave.
- Añadir el queso, las yemas pasadas por un colador y las claras picadas. Sazonar con sal y pimienta.
- Retirar del fuego y servir caliente.
- Rinde 6 raciones

Receta de Virginia Cabrera

Sopa de quelites

1/4 k	*papas*
150 g	*quelites*
50 g	*queso añejo rallado*
6	*tazas de caldo*
3	*cucharadas de aceite*
2	*dientes de ajo*
2	*jitomates*
·	*cebolla*
·	*sal y pimienta, al gusto*

- Freír las papas cortadas en cuadros y los quelites lavados, sin tallos y picados.
- Agregar los jitomates molidos con cebolla y ajo y colados. Añadir el caldo; al resecar, sazonar con sal y pimienta.
- Dejar en el fuego hasta que las papas y los quelites estén cocidos. Servir con queso rallado.
- Rinde 6 raciones

Receta de Ma. Teresa Méndez Quiroz

Sopa de frijol con rombitos de tortilla

200 g	*jitomate asado*
125 g	*frijol*
50 g	*queso añejo*
2	*cucharadas de aceite*
1/2	*cucharadita de orégano*
2	*litros de agua*
4	*tortillas frías*
1	*cebolla*
·	*sal, al gusto*

- Lavar y remojar los frijoles durante doce horas; cocerlos en esa misma agua. Molerlos con el caldo en que se cocieron; colar.
- Freír el jitomate (molido con cebolla y colado); al resecar, agregar los frijoles molidos, sazonar con sal gusto y añadir orégano; hervir.
- Servir con queso rallado y tortilla frita (cortada en rombos y dorada en aceite).
- Rinde 6 raciones

Receta de Gloria E. Honojosa de Hernández

Sopa de tortillas

100 g	*queso rallado*
6	*tazas de caldo*
1/2	*taza de aceite*
12	*tortillas fritas*
3	*dientes de ajo*
1	*cebolla*
1	*chile poblano asado*
1	*jitomate*
1	*rama de epazote*
·	*sal, al gusto*

- Cortar las tortillas en tiras delgadas; rociarlas con un poco de agua con sal y hornearlas a temperatura moderada, hasta que se sequen.
- Freír las tiras de tortillas en aceite caliente. Reservar.
- En esa misma grasa freír el jitomate molido con cebolla, ajo y chile poblano; agregar el caldo; sazonar con sal y epazote; dejar hervir un momento.
- Incorporar las tiras de tortillas fritas; dejar que se impregnen bien y, al servir la sopa, espolvorear el queso.
- Rinde 6 raciones

Receta de Gloria E. Hinojosa de Hernández

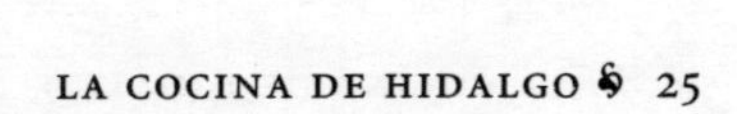

Sopa de chayote

50 g	*pan blanco*
1 1/2	*litros de caldo*
2	*cucharadas de aceite*
2	*cucharadas de harina*
2	*cucharadas de perejil picado*
1	*cebolla*
1	*chayote grande*
·	*sal y pimienta, al gusto*

- Cocer el chayote; pelarlo y molerlo con cebolla y una taza de caldo.
- Freír la harina; antes de que dore, agregar el chayote molido con el caldo y colado; sazonar con sal y pimienta.
- Añadir el resto del caldo y perejil; dejar hervir hasta que se espese.
- Servir con pan frito cortado en cuadritos.
- Rinde 6 raciones

Receta de Berta Jaimes de Rubio

Pascal de frijol tierno

1	*taza de frijol bayo tierno*
1/2	*taza de ajonjolí tostado*
1/2	*taza de masa*
2	*cucharadas de cilantro picado*
2	*chayotes picados*
1	*flor de izote*
1	*ramita de hierbabuena*
·	*sal, al gusto*

- Cocer el frijol en agua suficiente.
- Quitar los pistilos a las flores y remojar los pétalos en agua con sal; reservar.
- Moler el ajonjolí y mezclar con la masa; agregar al frijol que se está cociendo.
- Añadir el chayote, cilantro, los pétalos de la flor escurridos y la rama de hierbabuena. Sazonar con sal.
- Retirar del fuego cuando el frijol esté cocido y el caldo espeso.
- Rinde 6 raciones

Receta de Ildefonso Maya

Sopa mexicana

1 1/2	*litros de caldo de gallina*
1	*taza de acelgas cocidas y picadas*
1	*taza de queso rallado*
1	*cucharada de perejil picado*
10	*tortillas frías*
3	*dientes de ajo picados*
1	*cebolla picada finamente*
1	*jitomate asado, molido y colado*
·	*aceite*

- Freír el jitomate con cebolla, ajo y perejil.
- Agregar el caldo, las acelgas y las tortillas cortadas en cuadritos y doradas en manteca.
- Hervir durante diez minutos. Servir con queso rallado.
- Rinde 6 raciones

Receta de Olga Martínez Ruiz

Arroz verde

50 g	mantequilla
1	taza de arroz
6	cucharadas de aceite
1/2	litro de caldo
1	cebolla
4	chiles poblanos asados
2	dientes de ajo
·	sal, al gusto

- Remojar el arroz en agua caliente durante quince minutos; lavarlo, escurrirlo y freírlo en aceite caliente.
- Escurrir el aceite y agregar los chiles (molidos con cebolla y ajo); al resecar, añadir el caldo y sazonar al gusto; tapar el recipiente; cocer a fuego suave.
- Antes de que el arroz esté cocido, agregar la mantequilla en trozos; dejar que termine de cocerse.
- Rinde 6 raciones

Receta de Luisa Ramírez Ovando

Arroz con gallina

1	gallina cortada en piezas
50 g	mantequilla
2	tazas de agua
1	taza de arroz
1	taza de chícharos
1	taza de puré de jitomate
1/2	taza de vino blanco
1	litro de agua
1/4	cucharadita de nuez moscada
3	zanahorias rebanadas
1	tallo de apio picado
1	nabo rebanado
·	aceite
·	sal y pimienta, al gusto

- Dorar la gallina en aceite; añadir zanahorias, nabo, sal, pimienta, apio, nuez moscada y agua; cocer durante una hora.
- Incorporar el puré de jitomate, vino blanco y los chícharos; dejar que termine de cocerse.
- Freír el arroz en mantequilla; añadir dos tazas de agua y sazonar al gusto; dejar secar.
- Darle forma de corona y colocar a la gallina en el centro, junto con las verduras. Bañar con la salsa.
- Rinde 8 raciones

Receta de Ma. del Carmen Villagómez

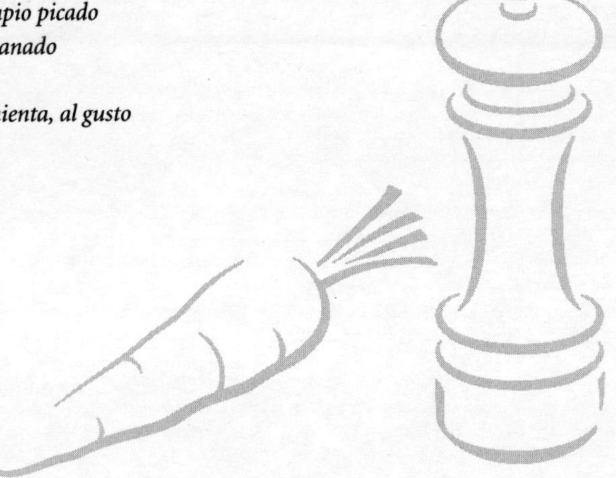

III
Pescados y Verduras
PESCADOS Y VERDURAS

Lejana a las costas, con aguas interiores limitadas, la dieta familiar hidalguense no abunda en mariscos y pescados. Su ingenio, sin embargo, le ha permitido recibir y adaptar hábilmente fórmulas y platillos de otros lugares.

Los camarones a la jardinera y pescado a la crema, ambos con su vino blanco, o el pescado con espinacas y queso, evocan culturas y latitudes distantes, aunque se acogen festivamente cuando llega la ocasión. Y otro tanto podría decirse del pescado excélsior –huachinango–, las mojarras en salsa de naranja y las sencillas y nutritivas croquetas de atún.

De origen y elaboración nativa es, en cambio, la receta del bagre de Mixquiahuala, adobado con laurel, tomillo y mejorana. Cuando se prepara, no debe olvidarse –elemento no sólo curioso, sino imprescindible– que el vinagre para el adobo debe llevar dos cucharadas de ceniza.

El carácter y la geografía hidalguense se reflejan, y muy bien, en las siguientes recetas. En ellas, los frutos del huerto se convierten en platillos deliciosos y, en no pocas ocasiones, de confección e interpretación singular. Para empezar, los chayotes exquisitos se cortan en cuadritos y se combinan de modo gratísimo con granos de elote y rajas de chile poblano. Y luego, en otra propuesta, el amable fruto se rellena con su propia pulpa, previamente frita con jitomate, cebolla, ajo y perejil; se cubre después con huevo batido y se hornea.

Gualumbos se llama a las flores fritas del maguey, floración del exótico bohordo conocido como quiote. Y las tortas que se preparan con ellas son originales y sabrosas. En la versión que se ofrece se cocinan con huevos, pechuga deshebrada, tomates y chile guajillo.

El delicioso hongo negro del maíz, el cuitlacoche, es la base del guiso con que se continúa. La "plaga" (hay países que la desperdician) se fríe con cebolla, chiles poblanos y un poquitín de epazote. Se espolvorea con queso fresco rallado. El gusto es finísimo.

Otros productos de tierras semiáridas, casi del desierto muchas veces, sirven de verdura local: las calabacitas, los chilacayotes, los nopalitos. La mesa familiar hidalguense sugiere, por ejemplo, unas calabacitas "a la mexicana", lo cual significa que se las marida ricamente con trocitos de maciza de cerdo. Los chilacayotes del mismo gentilicio van, por su parte, con chile ancho. Y los nopalitos pueden guisarse a la manera mazapil –humilditos y sustanciosos– o con alberjones bien remojados, chile de árbol, masa de maíz y cominos.

A comer y a misa, una vez se avisa

Combinación fresca y original es la de la coliflor con aguacate. Y a su vez los frijoles ayocotes, grandes y sabrosos, en mole, constituyen una elaboración de mucho comer, pues al mole de chile guajillo se incorporan trozos de carne de puerco, de longaniza y chicharrón. Se suele decir: ¡qué ricos frijoles!

No pueden pasarse por alto los champiñones con papas –nutritiva mezcla, de gran mérito culinario– ni los hongos "a la mexicana", a los que se agregan retacitos de costillas de cerdo y rajitas de chile poblano.

Exótica, una especialidad regional, la fórmula que cierra el apartado enseña cómo utilizar las flores de garambullo. Se confeccionan con ellas unas tortitas que se capean y se bañan, luego, en una salsa de jitomate, cebolla y chiles serranos. Vale la pena saborearlas.

Camarones a la jardinera

- *300 g camarones cocidos*
- *250 g jitomate cocido*
- *50 g mantequilla*
- *2 cucharadas de cebolla finamente picada*
- *2 cucharadas de perejil picado*
- *1 chile serrano asado*
- *1 pimiento morrón finamente picado*
- *1 vaso de vino blanco*
- *· sal y pimienta, al gusto*

- Freír la cebolla en mantequilla, agregar el pimiento y el jitomate (molido con el chile serrano).
- Añadir los camarones picados y perejil; por último, el vino blanco. Sazonar con sal y pimienta.
- Dejar en el fuego unos minutos. Servir.
- Rinde 6 raciones

Receta de Aurora Fuentes Cabrera

Pescado con espinacas y queso

- *1 k filete de pescado*
- *1/2 k queso Chihuahua*
- *1 cucharada de aceite*
- *2 manojos de espinacas*
- *· sal y pimienta*
- *· papel aluminio*

- Colocar en un recipiente refractario, previamente engrasado, las espinacas crudas, lavadas y picadas.
- Poner encima los filetes de pescado con sal y pimienta. Tapar con papel aluminio y hornear durante diez minutos.
- Retirar del horno; añadir queso rallado y hornear de nuevo para que el queso se gratine.
- Rinde 8 raciones

Receta de Gloria E. Hinojosa de Hernández

Pescado excélsior

- *1 k huachinango*
- *100 g aceitunas*
- *1/8 taza de aceite*
- *1/8 taza de vinagre*
- *3 pimientos morrones enlatados*
- *2 huevos cocidos*
- *1 cebolla en rodajas*
- *1 manojo de perejil*
- *1 naranja (el jugo)*
- *· hierbas de olor*
- *· sal y pimienta*

- Cocer el pescado entero con cebolla, hierbas de olor, aceite, vinagre, jugo de naranja, sal y pimienta.
- Colocarlo en un platón y bañarlo con la salsa.
- Para preparar la salsa se debe utilizar el caldo del pescado colado; revolver con cebolla y perejil; añadir aceitunas, pimiento morrón y claras de huevo (todo finamente picado).
- Adornar con figuras de pimiento morrón, aceitunas deshuesadas y yemas de huevo molidas. Servir.
- Rinde 8 raciones

Receta de Gloria E. Hinojosa de Hernández

Pescado a la crema

3/4 k	*filete de pescado*
150 g	*queso rallado*
1/2	*litro de crema*
1/2	*litro de vino blanco*
·	*hierbas de olor*
·	*mantequilla*
·	*sal y pimienta*

- Colocar los filetes en una cacerola extendida; condimentar con sal, pimienta, hierbas de olor y vino. Cocer durante diez minutos.
- Batir la crema con sal y pimienta.
- Acomodar en un recipiente refractario, untado de mantequilla, los filetes de pescado, crema y queso. Meter al horno a gratinar.
- Rinde 8 raciones

Receta de Ma. Eloísa Chávez Quintero

Mojarras en salsa de naranja

6	*cucharadas de aceite*
2	*cucharadas de perejil picado*
6	*mojarras*
4	*dientes de ajo*
2	*naranjas agrias*

- Moler dos dientes de ajo y mezclar con tres cucharadas de aceite; untar las mojarras con esta preparación.
- Asarlas en el horno bañadas con el jugo de una naranja.
- Dorar los otros ajos en el resto del aceite; retirar; añadir el perejil, jugo de una naranja, sal y pimienta.
- Bañar las mojarras con esta salsa. Servir.
- Rinde 6 raciones

Receta de Silvia Téllez Pimentel

Croquetas de atún

3	*tazas de puré de papa*
1	*taza de harina de trigo*
1	*taza de pan molido*
1/2	*taza de cebolla picada*
2	*latas de atún*
1	*cucharada de aceite*
3	*huevos*
1	*pimiento morrón verde picado*
1	*lechuga*
1	*limón en rodajas*
·	*aceite*
·	*sal y pimienta*

- Acitronar la cebolla y el pimiento en una cucharada de aceite.
- Revolver el atún desmenuzado con puré de papa y la fritura de cebolla y pimiento; sal y pimienta.
- Preparar unas croquetas de regular tamaño y pasarlas por harina, luego por huevo batido y, finalmente, por el pan molido.
- Freírlas en aceite caliente a fuego bajo.
- Servirlas sobre hojas de lechuga con rodajas de limón.
- Rinde 6 raciones

Receta de Gloria E. Hinojosa de Hernández

Hidalgo

Bagres adobados de Mixquiahuala

1 k bagres
1/8 litro de vinagre
1/8 litro de aceite
2 cucharadas de ceniza
3 cebollas rebanadas
3 hojas de laurel
2 ramitas de tomillo
1 ramita de mejorana
· sal al gusto

- Lavar los bagres; cocerlos en medio litro de vinagre y ceniza; cuando estén suaves, quitarles la piel.
- Freír las cebollas en aceite; agregar los pescaditos, vinagre, laurel, tomillo, mejorana y sal.
- Dejar en el fuego unos minutos más. Servir.
- Rinde 8 raciones

Receta de Ana Ma. Bermúdez de Sandoval

Chayotes exquisitos

150 g queso rallado
75 g mantequilla
1 litro de leche
6 chayotes limpios
chiles poblanos asados y desvenados
3 elotes desgranados
1 cebolla picada
· sal y pimienta al gusto

- Freír la cebolla en mantequilla hasta acitronar; agregar los chayotes (cortados en cuadros), elotes y chiles. Revolver y freír todo junto.
- Añadir la leche y sazonar con sal y pimienta. Tapar y dejar cocer a fuego lento.
- Espolvorear queso rallado y hornear para que se gratine.
- Rinde 8 raciones

Receta de Verónica Romero de Gaviño

Chayotes rellenos

250 g queso añejo rallado
6 chayotes cocidos
3 dientes de ajo
2 huevos
1 cebolla
1 jitomate
1 rama de perejil
· aceite

· Salsa
1 taza de agua
1 cucharada de harina
2 dientes de ajo picados
1/2 cebolla finamente picada
· aceite
· sal y pimienta, al gusto

- Extraer con cuidado la pulpa de los chayotes (partidos a lo largo); dejarles un hueco para rellenar.
- Freír jitomate, cebolla, ajo, perejil y la pulpa del chayote (todo picado); añadir queso añejo y revolver; rellenar los chayotes.
- Colocarlos en un recipiente refractario; añadirles huevo batido y hornearlos durante quince minutos. Al servir, bañarlos con la salsa.
- Rinde 6 raciones

Salsa

- Freír la harina con cebolla y los dientes de ajo picados; agregar agua y sazonar con sal y pimienta.
- Dejar en el fuego unos minutos hasta que espese.

Receta de Carmen Ocampo de González

Tortas de flores de maguey

1	*pechuga de pollo*
1 k	*flores de maguey*
20	*tomates verdes*
6	*huevos*
3	*chiles guajillo*
1	*rama de epazote*
·	*aceite*
·	*ajo y cebolla*
·	*sal, al gusto*

- Limpiar las flores de maguey y cocerlas en agua con sal; colar y picar finamente.
- Mezclar con los huevos batidos y la pechuga de pollo (cocida y deshebrada).
- Freír cucharadas de esta mezcla en aceite caliente para formar las tortas; retirar e incorporarlas en el caldillo.
- Rinde 6 raciones

Caldillo

- Desvenar, tostar y remojar los chiles; cocer con los tomates; moler con cebolla y ajo y freír; sazonar con sal.
- Agregar un poco de agua y la rama de epazote; dejar hervir.

Receta de Ma. Magdalena Torres Trejo

Cuitlacoche

500 g	*cuitlacoches*
150 g	*queso fresco*
5	*cucharadas de aceite*
4	*chiles poblanos*
3	*hojas de epazote*
1	*cebolla picada*
·	*sal, al gusto*

- Freír la cebolla y los chiles (asados, desvenados y en rajas); agregar los cuitlacoches picados, epazote y sal al gusto.
- Tapar el recipiente y dejarlo a fuego suave, hasta que se cueza bien el guiso. Servir con queso rallado.
- Rinde 6 raciones

Receta de Pilar Campos Zúñiga

Calabacitas a la mexicana

1 k	*calabacitas*
1/2 k	*carne de cerdo*
100 g	*queso fresco*
2	*chiles poblanos asados*
2	*dientes de ajo*
2	*elotes desgranados*
1	*cebolla*
1	*jitomate*
·	*aceite*
·	*sal, al gusto*

- Freír la carne cortada en pedazos pequeños.
- Agregar jitomate, cebolla y ajos (todo picado); dejar freír.
- Incorporar las calabacitas picadas, las rajas de chile poblano y los elotes desgranados.
- Sazonar con sal y dejar cocer en su jugo.
- Servir con queso rallado.
- Rinde 8 raciones

Receta de Hilda Domínguez Acosta

Chilacayotes a la mexicana

750 g chilacayotes tiernos
1/2 litro de caldo
5 chiles anchos
1 tortilla dorada en aceite
· aceite
· sal, al gusto

- Cortar los chilacayotes en pedazos pequeños y cocerlos en un poco de agua con sal; colar.
- Tostar, desvenar y remojar los chiles en agua caliente; molerlos con la tortilla y freír en aceite.
- Agregar el caldo y los chilacayotes cocidos; dejar hervir para que el guiso se sazone y espese.
- Rinde 6 raciones

Receta de Blanca Lilia Camarena S.

Nopalitos a la mazapil

3 tazas de agua
1 cucharadita de orégano molido
6 nopales
2 dientes de ajo molidos
2 ramas de cilantro picadas
1 cebolla picada
1 jitomate molido
· manteca
· sal, al gusto

- Lavar y cocer los nopales en agua con sal.
- Lavarlos y cortarlos en tiritas; freírlas en manteca.
- Agregar cebolla, ajo, cilantro, jitomate y orégano.
- Condimentar con sal y dejar un momento en el fuego.
- Rinde 6 raciones

Receta de Leticia Juárez Enríquez

Frijoles ayocotes en mole

1/4 k frijoles ayocotes
1/4 k carne de puerco
125 g chicharrón
125 g longaniza
2 cucharadas de aceite
2 dientes de ajo
1 cebolla
1 trozo de cebolla
· aceite de oliva al gusto
· chiles guajillo
· orégano
· sal, al gusto

- Cocer los frijoles con sal, cebolla y aceite hasta que estén suaves.
- Agregar la carne de puerco, longaniza y chicharrón en trozos; dejar hervir durante una hora en olla de barro.
- Desvenar, hervir y moler los chiles con ajo y cebolla; incorporar a los frijoles y dejar sazonar.
- Servir con rodajas de cebolla, un poco de aceite de oliva y orégano.
- Rinde 6 raciones

Receta de Juan de Dios Mastachi Uriza

Alberjones con nopalitos

1/4 k	*alberjón*
1/2	*taza de masa*
4	*nopales grandes*
1	*ajo grande*
1	*cebolla chica*
1	*manojo de cilantro*
·	*chiles de árbol (secos)*
·	*sal y cominos, al gusto*

- Cocer los alberjones en una olla de barro, en la misma agua en que se remojaron durante doce horas; incorporar los nopales crudos cortados en cuadritos.
- Agregar el chile de árbol molido con las especias, cilantro picado y la masa disuelta en un poco de agua.
- Retirar cuando los alberjones estén cocidos.
- Servir caliente en cazuelitas de barro.
- Rinde 6 raciones

Receta de Rosa Linda Guadalupe Sánchez Montes

Coliflor con aguacates

100 g	*almendras molidas*
2	*cucharadas de vinagre*
4	*aguacates*
1	*coliflor*
·	*nuez moscada*
·	*rábanos*
·	*sal y pimienta, al gusto*

- Cocer la coliflor en suficiente agua hirviendo con sal; colar y dejarla enfriar.
- Rociar con vinagre, sal y pimienta y colocarla en un platón.
- Mezclar aguacates, almendras, sal, pimienta y nuez moscada; untar la coliflor con esta pasta.
- Adornar con rábanos y servir.
- Rinde 8 raciones

Receta de Patricia Sandoval de González

Hongos a la mexicana

1/2 k	*jitomate*
750 g	*hongos*
300 g	*costillas de cerdo*
2	*cucharadas de manteca*
8	*dientes de ajo*
5	*chiles poblanos*
3	*cebollas picadas*
1	*rama de epazote*
·	*sal y pimienta, al gusto*

- Lavar los hongos; eliminar la parte oscura del rabo y enjuagarlos.
- Freír ajos, cebolla y hongos en la manteca; dejar en el fuego durante diez minutos.
- Agregar las costillas de cerdo cortadas en retazos, rajas de chile poblano, epazote, jitomate asado y molido, sal y pimienta. Cocinar a fuego lento.
- Rinde 6 raciones

Receta de Aurora Carrillo Luna

Papas con hongos

100 g	*mantequilla*
1 1/2	*tazas de champiñones*
1	*taza de caldo*
5	*cucharadas de harina*
1	*cucharada de vinagre*
8	*papas*
8	*pimientas molidas*
3	*yemas de huevo*
1	*cebolla picada*
1	*limón (el jugo)*
·	*sal, al gusto*

- Cocer las papas en agua con sal y rebanarlas.
- Fundir la mantequilla, agregar la cebolla, los champiñones (cocidos y picados) y las papas; dejar en el fuego unos minutos.
- Espolvorear harina, incorporar el caldo y sazonar con sal y pimienta. Cocer a fuego suave.
- Agregar las yemas diluidas en un poco de caldo y coladas; dejar sazonar. Servir con jugo de limón y vinagre.
- Rinde 8 raciones

Receta de Lucía Lozano de Quintero

Tortas de flores de garambullo

2 k	*flores de garambullo*
5	*huevos*
3	*jitomates*
1	*cebolla mediana*
·	*aceite*
·	*chiles serranos*
·	*sal, al gusto*

- Cocer las flores en agua con un poco de sal; colar y preparar las tortas en forma de hamburguesas.
- Batir los huevos y capear las tortas; dorarlas en aceite.
- Servir con salsa de jitomate, cebolla y chiles picados.
- Rinde 10 raciones

Receta de Irene Estrada Martínez

IV
Aves y Carnes
AVES Y CARNES

Abundantes y expresivas son las recetas de esta sección de la mesa familiar hidalguense. Marcan claramente sus gustos y posibilidades en la comida diaria y la comida festiva. Así se explica que reaparezcan algunas fórmulas que aprovechan maravillosamente los hongos, en varias se repite el recaudo de los quelites o los elotes, constante es el uso del horno de tierra y evidente la sabiduría del mixiote, o sea, esa admirable epidermis de la penca del maguey.

De volátiles y porcinos trata fundamentalmente el apartado. Se principia con los plumíferos. El pollo a la mexicana se prepara, como debe ser, con chiles poblanos, jitomates, cebolla y algo más (esta vez, chorizo y papas). Con la técnica del mixiote se elabora un pollo original, con habas, chícharos y nopalitos. El ajocomino de gallina lleva, además de tal base, chile ancho y pasilla, y la gallina en chichimeco utiliza y muele el corazón, hígado y mollejas del ave para sazonarla de manera espléndida con clavo, canela, pimienta, vinagre, vino, pasas, almendras.

De la zona de Metztitlán arriba una sugerencia interesante, en la que el pollo se acompaña de calabacitas y se aliña en una salsa de pepitas de calabaza, ajos, cebolla y cilantro. El pollo en hongos, a su vez, los pide en abundancia con chiles morita y una rama de epazote.

Igualmente con hongos se aconsejan unos amables chichicuilotes. Las zancudas avecillas encuentran en nuestro país su refugio invernal –vienen desde el Canadá– y son ayuda principal de la cocina campirana. En vida, la mantienen libre de moscas e insectos, y en el perol resultan suculentas.

Dos recetas inusuales terminan la parte alada. Ingredientes fundamentales para las tortolitas, al estilo Hidalgo, son el pulque local, el poro, el laurel y unos manojos de cebollitas. Y para las huilotas del cazador se pide nada menos que almendras y jerez.

Asimismo extraña para quien no es de la región, la propuesta para adobar las ardillas de campo en mixiote, recomienda chile guajillo, ajo y especias. El conejo, en cambio, según la versión seleccionada, se marina con chile ancho, chile de árbol, especias, ajos y vinagre durante doce horas largas. Después, envuelto en papel aluminio, se hornea.

Más conocidas son las recetas para preparar la carne de cerdo. Con quelites, la primera selección que se presenta es humilde y sabrosa. El lomo relleno, al contrario, es plato de postín. En su relleno no faltan ni los huevos cocidos ni las pasitas y las almendras. Otra versión de tipo económico es la siguiente: la carne de puerco se cocina con elotes y chile poblano.

Barriga de pobre, primero reventar que sobre

De mayor elaboración, el pipián verde con cerdo es sumamente apetitoso. ¿Y qué decir del zacahuil que enseguida se analiza? Impresionante tamal huasteco –para 60 personas, en este caso– cuyo relleno consiste en un guajolote y cinco kilogramos de carne maciza, a más de los doce kilogramos de masa y seis de manteca que hay que batir hasta obtener la pasta suave que pide el tamal. Se cuece al horno (de tierra) durante doce horas. La especialidad local, empero, es la barbacoa de chivo o el asado al pastor que luego se examina, en el cual toca el turno a un carnero que va en una salsa borracha de chile pasilla, pulque (fuerte) y queso añejo. Sigue una barbacoa de mixiote –también para carnero– que lleva chile ancho y es, en verdad, platillo de sabor formidable.

Concluye el apartado con una convincente versión, diferente y original, para cocinar la pancita de res en un mole rojo al que los xoconostles agrios y el trascendente epazote regalan magnífico punto y sazón.

Pollo a la mexicana

1	*pollo*
500 g	*jitomate*
1/2	*litro de caldo*
3	*cucharadas de manteca*
4	*chiles poblanos*
3	*dientes de ajo*
2	*cebollas*
2	*papas*
1	*chorizo desmenuzado*
·	*sal y pimienta, al gusto*

- Dorar el pollo partido en piezas; agregar el chorizo y retirar.
- Freír en la misma grasa las cebollas cortadas en ruedas, los chiles asados, desvenados y cortados en rajitas, dientes de ajo y jitomate molido; sazonar con sal y pimienta. Dejar hervir hasta que se reseque.
- Añadir el caldo, las papas, el pollo y el chorizo; cocer a fuego lento.
- Rinde 6 raciones

Receta de Leonor García

Mixiotes de pollo con nopalitos

1	*pollo tierno*
1/2 k	*chícharos cocidos*
1/2 k	*habas tiernas*
10	*hojas de mixiote*
10	*nopales tiernos*
10	*ramas de epazote*
4	*jitomates*
2	*cebollas*
·	*chile piquín*
·	*sal, al gusto*

- Picar finamente los nopales; rebanar los jitomates.
- Colocar en cada hoja de mixiote (previamente lavada, remojada y escurrida) una pieza de pollo, cebolla rebanada, jitomate, nopalitos, chícharos, habas, una rama de epazote, chile piquín y sal al gusto.
- Envolver y formar una bolsita con la hoja; atarla con hilo (para evitar que los ingredientes se salgan).
- Cocer en vaporera durante noventa minutos.
- Servir muy caliente en la bolsita.
- Rinde 10 raciones

Receta de Mireya López Monroy

Gallina en chichimeco

1	*gallina*
1/2	*taza de vinagre*
1/2	*taza de vino tinto*
1	*cucharada de clavo*
1	*cucharadita de canela*
1	*cucharadita de pimienta*
10	*almendras*
10	*pasas*
1	*bolillo duro*
·	*ajo y cebolla*
·	*manteca*
·	*pan frito*
·	*sal, al gusto*

- Cocer la gallina en piezas con sal, ajo y cebolla.
- Moler el corazón, la molleja, el hígado de la gallina (cocidos con ajo) y el bolillo (remojado en caldo). Freír en una cucharada de manteca.
- Agregar clavo, canela, pimienta (molidos en molcajete), vinagre, vino, pasas, almendras y sal.
- Dejar sazonar unos minutos a fuego lento. Añadir una cebolla picada y las piezas de la gallina.
- Adornar con rebanadas de pan frito.
- Rinde 6 raciones

Receta de Marta Rangel de Posada

Ajo-comino de gallina

- 1 *gallina grande*
- 1/4 *cucharadita de cominos*
- 5 *chiles anchos*
- 2 *chiles pasilla*
- · *ajo y cebolla*
- · *manteca*
- · *sal, al gusto*

- Cocer la gallina con sal, cebolla y ajo.
- Desvenar los chiles y remojarlos en agua caliente; molerlos con ajo y comino; freír en manteca.
- Incorporar las piezas de la gallina cocidas y un poco de caldo; dejar sazonar.
- Rinde 6 raciones

Receta de Socorro Castrejón Miranda

Pollo en hongos

- 1 *pollo*
- 1 k *hongos*
- 7 *chiles morita*
- 2 *ajos*
- 2 *jitomates*
- 1 *cebolla*
- 1 *rama de epazote*
- · *aceite*

- Cocer el pollo partido en piezas en agua con cebolla y sal.
- Freír los chiles; añadir los jitomates, la cebolla y los ajos finamente picados. Dejar sazonar durante diez minutos a fuego suave.
- Agregar esta salsa a la cacerola del pollo junto con epazote y los hongos; cocer a fuego suave; retirar y servir caliente.
- Rinde 6 raciones

Receta de Berta Ruiz de Mendoza

Huilotas almendradas

- 8 *huilotas*
- 1/2 k *jitomate*
- 50 g *almendras*
- 5 *cucharadas de jerez seco*
- 6 *pimientas negras*
- 2 *cebollas*
- 2 *chiles serranos en vinagre*
- 2 *clavos*
- 2 *dientes de ajo*
- 2 *yemas de huevo cocidas*
- 1 *bolillo*
- 1 *raja de canela*
- · *manteca*
- · *sal, al gusto*

- Limpiar las huilotas; colocarlas en agua con cebolla, pimienta y sal.
- Dorar en manteca las almendras; molerlas con jitomate, pan frito y remojado en leche, cebolla, ajos, clavos, canela y las yemas.
- Freír la preparación anterior en dos cucharadas de manteca; agregar dos tazas del caldo e incorporar las huilotas partidas, el vino y los chiles picados; dar un hervor y servir.
- Rinde 8 raciones

Receta de Marta Rangel de Posada

Chichicuilotes con hongos

- 6 *chichicuilotes*
- 1/4 k *hongos*
- 50 g *mantequilla*
- 1/2 *litro de caldo*
- 1/2 *taza de vino blanco*
- 1 *cucharada de harina*
- 3 *dientes de ajo*
- 1 *pan blanco*
- · *manteca*
- · *sal y pimienta, al gusto*

- Tostar y limpiar los chichicuilotes. Remojarlos en caldo y abrirlos por la espalda sin partirlos.
- Rellenarlos con los hígados picados, pan, mantequilla, sal y pimienta; atarles las patas y ponerlos en una cacerola con manteca derretida.
- Freírlos un poco; agregar el vino y el caldo; cocer duarnte cuarenta y cinco minutos a fuego lento.
- Limpiar los hongos y freírlos aparte, rebanados, con tres ajos picados; añadir la harina a que se dore; verter un poco de caldo y bañar con esta preparación a los chichicuilotes.
- Rinde 6 raciones

Receta de Berta Ruiz de Mendoza

Xala al estilo Metztitlán

- 1 *pollo*
- 1/2 k *calabacitas tiernas*
- 1/4 k *pepita de calabaza*
- 3 *dientes de ajo asados*
- 1 *cebolla mediana asada*
- 1 *manojo de cilantro*
- · *cominos*
- · *manteca*

- Cocer el pollo partido en piezas en agua con ajo, cebolla y sal.
- Freír la pepita; licuarla con ajo, cebolla, cilantro y un poco de caldo.
- Freír en tres cucharadas de manteca (en cazuela de barro); revolver constantemente con cuchara de madera.
- Incorporar las piezas de pollo y las calabacitas cocidas; sazonar con comino. Servir.
- Rinde 8 raciones

Receta de Marta Rangel de Posada

Tortolitas al estilo Hidalgo

- 12 *tortolitas*
- 120 g *jamón cocido*
- 100 g *mantequilla*
- 3 *cucharadas de harina*
- 1 *litro de pulque*
- 5 *manojos de cebollitas de Cambray*
- 3 *dientes de ajo picados*
- 2 *hojas de laurel*
- 1 *poro finamente picado*
- · *pimienta y sal, al gusto*

- Limpiar las tortolitas y mecharlas con trozos de jamón. Dorarlas en mantequilla. Reservar.
- Freír en la misma grasa los ajos y la harina; agregar el poro, las tortolitas, el pulque, las hojas de laurel, sal y pimienta. Dejar cocer.
- Añadir las cebollitas limpias; cocinar unos minutos más y servir.
- Rinde 6 raciones

Receta de Marta Rangel de Posada

Ardillas en mixiote

2 ardillas de campo (2 kg)
12 cominos
4 chiles guajillo
4 hojas de mixiote (de maguey fresco)
4 pimientas
3 ajos
2 clavos

- Pelar las ardillas con agua hirviendo; limpiarlas y lavarlas muy bien; partirlas en trozos.
- Moler los chiles guajillo con ajo, cominos, pimientas y clavos; untar las ardillas con este adobo.
- Colocar trozos de carne en los mixiotes, previamente lavados y escurridos; amarrarlos en forma de bolsita.
- Cocer en olla de vapor durante una hora. Servir.
- Rinde 4 raciones

Receta de Epifanía García Hernández

Carne de puerco con quelites

3/4 k carne de puerco
300 g quelites
2 cucharadas de manteca
12 chiles verdes
2 jitomates
1 cebolla
1 diente de ajo
· sal, al gusto

- Freír los trozos de carne en manteca; agregar la cebolla finamente picada a que acitrone.
- Moler los jitomates, chiles asados y el ajo e incorporarlos al guiso con un poco de agua; dejar hervir.
- Añadir los quelites, previamente cocidos en agua con una pizca de bicarbonato; sazonar al gusto.
- Rinde 6 raciones

Receta de Aída Angélica Olguín Martín

Cerdo con elotes y rajas

3/4 k carne de puerco
6 elotes tiernos
4 chiles poblanos
3 jitomates
2 dientes de ajo
1 cebolla mediana
· sal, al gusto

- Cocer la carne en trozos, a fuego lento, en medio litro de agua; dejar que se reseque y se fría en su misma grasa.
- Desgranar los elotes, asar los chiles y partirlos en rajas; picar finamente el ajo, jitomate y cebolla.
- Agregar a la carne y dejar sazonar durante veinte minutos, con la cacerola tapada. Condimentar al gusto y servir.
- Rinde 6 raciones

Receta de Berta Ruiz de Mendoza

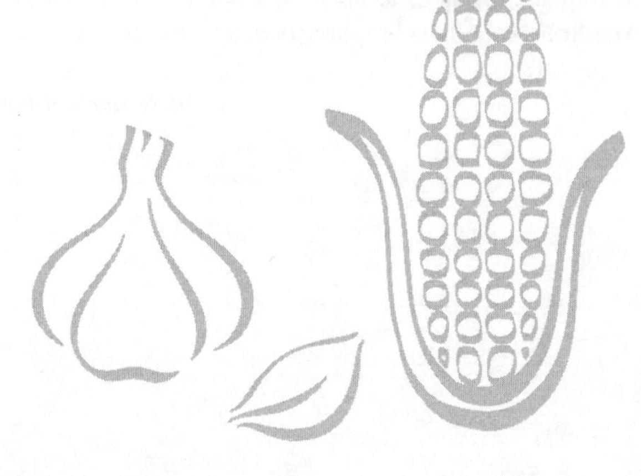

Lomo relleno

1 k lomo de cerdo
1/2 k carne de cerdo molida
100 g almendras picadas
100 g pasitas
4 tazas de caldo
1 cucharadita de orégano
2 huevos cocidos picados
1 jitomate molido y colado
· manteca
· sal y pimienta, al gusto

- Extender el lomo abierto y rellenarlo con la carne molida, pasas, huevos, almendras, orégano, sal y pimienta.
- Enrollarlo y amarrarlo con hilo para evitar que se salga el relleno.
- Dorarlo en manteca; agregar el caldo y cocer a fuego suave.
- Añadir el jitomate; dejar en el fuego unos minutos más y servir.
- Rinde 8 raciones

Receta de Marta Rangel de Posada

Pipián verde

1 k carne de cerdo
1/2 k tomate verde
1/4 k semillas de calabaza sin cáscara
2 hojas de hierbasanta
· aceite
· chiles serranos verdes
· sal, al gusto

- Cocer la carne partida en trozos con sal; retirar.
- Freírla y agregar el tomate cocido y molido con los chiles asados.
- Añadir el caldo de la carne y las semillas de calabaza, tostadas y molidas; revolver continuamente para que no se pegue. Cocinar diez minutos a fuego lento.
- Agregar la hierbasanta molida y dejar hervir diez minutos (el guiso debe quedar espeso). Sazonar al gusto.
- Rinde 8 raciones

Receta de Irma Moreno Ruiz

Conejo enchilado

1 conejo
1/2 k chile ancho
50 g chile de árbol
1 taza de vinagre
1/2 cucharadita de orégano
15 ajos
12 cominos
3 clavos
2 hojas de laurel
1 cebolla grande
· sal, al gusto

- Remojar el chile ancho y el chile de árbol; molerlos con las especias y ajos. Agregar vinagre y sal.
- Marinar con esta mezcla las piezas del conejo durante doce horas.
- Colocar en un recipiente refractario; cubrir con papel aluminio.
- Cocer en el horno a 300°C. Quitar el papel aluminio al final para que la carne se dore.
- Rinde 8 raciones

Receta de Olga Cenobio Domínguez

Zacahuil

1	*guajolote*
12 k	*masa seca (algo martajada)*
6 k	*manteca de puerco*
5 k	*carne de puerco*
700 g	*chile ancho*
150 g	*chile guajillo*
150 g	*cebolla asada*
120 g	*chile pasilla*
50 g	*polvo para hornear*
30 g	*cabeza de ajo*
12	*hojas grandes de plátano*
2	*mecates para amarrar*
1	*canasto de carrizo de 40 x 45 centímetros*
·	*pencas de maguey para el horno*
·	*sal, al gusto*

- Partir el guajolote en piezas y cocerlo en cuatro litros de agua con sal.
- Desvenar los chiles y remojarlos en agua caliente. Asar ajo y cebolla y molerlos con los chiles; freír en manteca; añadir sal y agua.
- Mezclar la masa con el polvo para hornear, caldo de guajolote, manteca, sal y el agua en que se remojaron los chiles; batir hasta obtener una pasta suave; dejarla reposar durante dos horas.
- Forrar el canasto con hojas de plátano, lavadas y húmedas, dejándolas sobresalir para envolver el zacahuil.
- Forrar el fondo y los lados con una capa de masa de dos centímetros de grosor; poner encima un poco de salsa de los chiles, una capa de carne de puerco cruda con sal y así sucesivamente (la última capa debe ser de masa). Tapar con hojas de plátano.
- Con las hojas restantes envolver el canasto y amarrarlo bien.
- Cocer en horno de barbacoa; colocar pencas de maguey encima de la lumbre y, sobre éstas, el canasto; cubrirlo con más pencas.
- Tapar el hoyo con tierra y lumbre. Cocer durante toda la noche.
- Rinde 60 raciones

Receta de Deodora Redonda de Hernández

Asado al pastor

1	*carnero tierno (sacrificado la víspera)*
230 g	*mantequilla*
•	*Salsa borracha*
100 g	*chile pasilla*
50 g	*queso añejo*
1/2	*litro de pulque fuerte*
4	*cucharadas de aceite de oliva*
6	*chiles serranos en vinagre*
2	*cebollas*
2	*dientes de ajo*
·	*sal, al gusto*

- Dividir la carne en dos partes así como las piernas y la espaldilla; rociar con agua de sal.
- Quemar leña gruesa y seca hasta convertirse en brasas.
- Colocar horquillas de madera verde (1.25 m de altura, con brazos para sujetar la carne; ésta debe quedar a 35 cm del fuego, más o menos).
- Apoyar las patas de las horquillas en piedras grandes, en posición inclinada hacia las brasas.
- Darle vuelta a la carne para que se cueza en forma pareja.
- Cuando la carne ya no escurra sangre, untarla con mantequilla y sal y dejarla asar a fuego lento.
- Servir con salsa que se prepara de la siguiente manera: tostar, desvenar, remojar y moler los chiles con ajo (en molcajete); agregar el aceite y el pulque necesarios; sazonar con sal; verter en una salsera con los chiles serranos en vinagre, queso rallado y cebolla finamente picada.
- Rinde 30 raciones

Receta de Deodora Redonda de Hernández

Barbacoa de mixiote

40	*cuadros de mixiote, remojados y escurridos*
4 k	*carne de carnero (en trozos de 100 g)*
250 g	*chiles anchos*
150 g	*almendras*
1	*litro de caldo*
1	*cucharada de orégano*
40	*hojas de aguacate*
10	*dientes de ajo*
3	*cebollas*
·	*sal, al gusto*

- Tostar, desvenar y remojar los chiles en caldo caliente.
- Molerlos con ajo, cebolla, almendras sin cáscara, sal y orégano.
- Colocar en cada cuadro de mixiote una hoja de aguacate y una pieza de carnero bañada de salsa de chile.
- Amarrar los mixiotes con un hilo y formar bolsitas; cocerlos en vaporera.
- Rinde 20 raciones

Receta de Reina Mariscal

Pancita de res en mole rojo con xoconostles

1 k	*pancita de res*
5	*xoconostles*
3	*cucharadas de manteca*
4	*chiles anchos*
3	*dientes de ajo*
3	*limones (el jugo)*
2	*chiles guajillo*
2	*ramas de epazote*
1	*rajita de canela*
1	*trozo de cebolla*
·	*sal, al gusto*

- Lavar la pancita con agua y jugo de limón; cocer con sal en olla de presión durante sesenta minutos.
- Pelar y cortar los xoconostles en rajitas; desvenar, tostar y hervir los chiles; molerlos con canela, sal, ajo y cebolla.
- Freír la salsa en manteca; agregar la pancita en trozos, los xoconostles y el epazote. Sazonar con sal y cocer durante diez minutos.
- Servir el guiso caliente con cebolla picada y limón.
- Rinde 8 raciones

Receta de Mireya López Monroy

V
Panes, Dulces y Postres

PANES, DULCES Y POSTRES

Curiosa y agradable selección de recetas ofrece en este apartado la cocina estatal. El buen pulque de la zona, los nopales y el maíz son invitados importantes. De tal forma se propone, para empezar, un formidable pan de pulque. De harina de trigo y laboriosa confección, resulta un bizcocho de alta repostería.

Las tortitas de harina –la sencilla fórmula siguiente– son gratísimas. Fáciles y rápidas de hacer, con su tantito de manteca, igual se comen: fácil y rápidamente, y con mucho gusto además. También ligeras, y también de desaparición inmediata, las humildes gorditas de pinole –con nata, huevos y canela– o a las de Tulancingo –con queso de cabra, yemas, canela, anís–, mayor tiempo lleva prepararlas que saborearlas.

Increíble, exótico, económico, se recibe luego un pastel de nopal. Un galardón de la cocina hidalguense. Con su proyección internacional –mas también buenísimas– llegan acto continuo unas delicadas galletas de nata (como las que suelen ser fórmula secreta y orgullo de ciertas vecinas) y unos pastelitos de mermelada cubiertos por la nieve del coco rallado. Si con oscuro piloncillo, probablemente de la producción cañera local, revuelto con nueces, se confitan unas palanquetas, las pepitorias de Actopan se garapiñan con pepitas tostadas de calabaza. Acto seguido –invento afortunado– la flor de la palma y la guayaba se ligan en almíbar. Uno tras otro, pues, panes y dulces hablan de la inventiva culinaria estatal.

Prosigue un dulce de peras en almíbar, de confección sencilla y amable sabor, que puede conservarse algún tiempo, e igualmente hecha para que duren las frutas, la mermelada que se imprime a continuación mezcla la piña, la manzana, la naranja y el coco. Mermelada tal, bien vale un five o´clock tea.

Los condumbios de cacahuate son unos acaramelados y crujientes cuadritos; el arroz de leche, a la manera antigua, se integra con piloncillo, canela y –punto fino– un trocito de cáscara de naranja.

Dos dulces de postín finalizan el recetario. Uno de origen trasatlántico, los merengues de chocolate con almendras picadas (soberbia golosina) y otro de raigambre nativa, el ungui al estilo de la entidad, lo cual quiere decir que se preparan al vapor unos riquísimos tamalitos dulces de piloncillo con su toque de canela y anís.

... y recuerdo con porfía
frescuras de tus brazos de ambrosía
y esencias de tu boca de granada.

Insomnio

EFRÉN REBOLLEDO

Pan de pulque

1 1/4 k harina de trigo
1/4 k azúcar
1/4 k manteca de puerco
1/4 litro de pulque fuerte
2 cucharadas de polvo para hornear
10 huevos
1 naranja

- Cernir un kilo de harina con polvo para hornear en una cazuela de barro. Incorporar lentamente el pulque, el jugo y la raspadura de la naranja; mezclar poco a poco.
- Amasar hasta formar una bola; poner parte de la harina restante encima de esta pasta. Dejar reposar cerca del calor de la estufa.
- Al aumentar su tamaño, agregar la manteca derretida y fría, azúcar, seis huevos y cuatro yemas. Amasar.
- Agregar un poco del cuarto de la harina restante, en caso necesario.
- Dejar reposar durante siete horas. Colocar raciones de masa en charolas de horno previamente engrasadas; dejar toda la noche cerca del calor de la estufa.
- Barnizar con yema de huevo y espolvorear azúcar; hornear a 210°C.
- Rinde 10 raciones

Receta de María Elena Hernández Carrillo

Tortitas de harina

250 g harina
75 g azúcar
75 g manteca
4 cucharadas de leche
1 cucharada de polvo para hornear
2 yemas

- Cernir la harina con polvo para hornear; hacer una fuente y colocar en el centro azúcar, manteca y las yemas; incorporar la leche y formar una masa suave.
- Extender con el rodillo y cortar las tortitas; cocerlas en comal a calor suave.
- Servirlas con mantequilla o mermelada.
- Rinde 6 raciones

Receta de Silvia Téllez Pimentel

Gorditas de Tulancingo

1 k maíz cacahuazintle (molido en crudo y cernido)
750 g azúcar
350 g queso de cabra
250 g manteca
100 g azúcar
1 cucharada de anís
1 cucharada de polvo de canela
12 yemas

- Moler el queso y mezclarlo con canela, anís y un poco de azúcar.
- Cernir dos veces la harina de maíz y el azúcar. Formar una fuente; colocar en el centro las yemas y la manteca necesaria para formar una masa manejable.
- Hacer bolitas con un agujero en el centro, el cual se rellena con queso molido; cerrar el agujero y redondear las gorditas.
- Colocarlas en una tabla enharinada y cubrir con una servilleta; dejarlas reposar durante varias horas.
- Sobre un comal de barro poner piedritas de hormigueros y, sobre éstas, papel de estraza.
- Cocer las gorditas sobre el papel; darles vuelta con cuidado; retirar cuando estén doradas y cocidas.
- Rinde 10 raciones

Receta de María Eloísa Chávez Quintero

Gorditas de pinole

500 g	*pinole*
50 g	*azúcar*
1	*taza de natas*
1	*cucharada de polvo de canela*
5	*yemas de huevo*

- Batir la nata con azúcar; agregar las yemas, la canela y el pinole (harina de maíz tostada con piloncillo). Mezclar bien.
- Formar gorditas de un centímetro de grosor, en forma de triángulo.
- Colocarlas en moldes engrasados y cocer en el horno a calor regular.
- Rinde 10 raciones

Receta de María Elena Hernández Carrillo

Pastel de nopal

10	*nopales*
6	*huevos*
250 g	*mantequilla*
1	*taza de azúcar*
1	*taza de harina*
1/2	*taza de leche*
2	*cucharaditas de polvo para hornear*

- Licuar los nopales con los huevos, harina, polvo para hornear, azúcar y leche.
- Derretir la mantequilla y revolver bien.
- Verter en un recipiente refractario engrasado; hornear a 225°C durante treinta minutos.
- Rinde 6 raciones

Receta de Olga Cenobio Domínguez

Galletas de nata

200 g	*harina de trigo*
75 g	*azúcar*
1/2	*taza de nata de leche*
3	*yemas*
1	*yema para barnizar*
·	*mantequilla*

- Batir la nata con el azúcar; agregar las yemas y la harina necesaria para formar una masa suave.
- Extender con el rodillo hasta que quede de medio centímetro de grosor. Cortar las galletas y barnizarlas con la yema.
- Acomodarlas en un molde engrasado y hornear a 210°C.
- Rinde 6 raciones

Receta de Virginia Cabrera

Pepitorias al estilo de Actopan

500 g	*azúcar*
500 g	*pepita de calabaza, sin cáscara*
1/2	*taza de agua*

- Tostar las pepitas en un comal a fuego suave; dejarlas enfriar.
- Hervir agua con azúcar; retirar del fuego cuando tenga punto de caramelo; agregar las pepitas tostadas.
- Colocar cucharadas de la garapiña sobre una tabla de madera humedecida con agua fría.
- Dejar enfriar; despegar con un cuchillo y darlas vuelta. Dejarlas sobre la tabla a que se endurezcan.
- Rinde 8 raciones

Receta de Aurora Fuentes Cabrera

Pastelitos de mermelada

- *275 g harina de trigo cernida*
- *150 g azúcar*
- *125 g manteca vegetal*
- *50 g coco rallado*
- *1 taza de mermelada al gusto*
- *1/2 taza de leche*
- *1 cucharadita de polvo para hornear*
- *2 huevos*
- *· mantequilla*

- Batir la manteca con azúcar; cuando esponje, agregar los huevos, harina, polvo para hornear y leche. Mezclar perfectamente.
- Verter en un molde para horno previamente engrasado y enharinado; hornear a 150°C, de veinte a treinta minutos.
- Dejar enfriar y cortar en rectángulos. Servir con mermelada y espolvorear el coco rallado.
- Rinde 6 raciones

Receta de Aurora Fuentes Cabrera

Palanquetas de nuez

- *1 k piloncillo oscuro*
- *300 g nueces peladas*
- *1/2 litro de agua*
- *· papel encerado*

- Hervir el agua con piloncillo; cuando tome punto de bola, retirar y batir. Al blanquear, agregar la nuez.
- Servir cucharadas de esta preparación sobre el papel encerado y extenderlas para formar las palanquetas.
- Rinde 10 raciones

Receta de Virginia Cabrera

Dulce de pera

- *1 k peras*
- *750 g azúcar*
- *1/2 litro de agua*
- *3 limones (el jugo)*
- *1 raja de canela*

- Pelar las peras y cortarlas a la mitad; rociar el jugo de limón.
- Mezclar agua, azúcar y canela y poner en el fuego; al soltar el hervor, incorporar las peras.
- Dejar en el fuego hasta que las frutas estén suaves y la miel espesa.
- Rinde 6 raciones

Receta de Virginia Cabrera

Flores de palma en almíbar

- *2 k flores de palma*
- *1 k azúcar*
- *1/2 k guayaba*
- *1 cucharadita de cal*
- *1 raja de canela*

- Eliminar el pistilo de las flores y lavarlas en agua con cal; retirar y hervirlas en agua limpia; colar.
- Hervir medio litro de agua, canela y azúcar para preparar almíbar.
- Incorporar las flores cocidas y las guayabas cortadas en trozos pequeños; hervir durante quince minutos más.
- Rinde 10 raciones

Receta de María Eloísa Chávez Quintero

Mermelada de piña, manzana, naranja y coco

1 k	*azúcar*
1/2 k	*manzana*
1/2 k	*piña*
150 g	*coco rallado*
1	*cucharadita de raspadura de naranja*
2	*naranjas (el jugo)*

- Poner en el fuego la piña finamente picada; al suavizar, agregar la manzana picada, el jugo de naranja, su raspadura y azúcar.
- Dejar en el fuego y revolver constantemente.
- Añadir el coco; dar un hervor y retirar del fuego.
- Rinde 10 raciones

Receta de María Elena Hernández Carrillo

Condumbios de cacahuate

800 g	*azúcar*
250 g	*cacahuates, sin cáscara*
2	*litros de leche*
1/4	*cucharadita de bicarbonato*
1	*cáscara de naranja*

- Poner en el fuego la leche, azúcar y la cáscara de naranja; al soltar el hervor, agregar el bicarbonato.
- Revolver constantemente hasta tomar su punto.
- Retirar, incorporar los cacahuates y batir para formar una pasta.
- Verter la mezcla sobre una tabla de madera húmeda; extenderla con un cuchillo hasta que quede de dos centímetros de grosor.
- Partir en cuadritos con un cuchillo; dejar enfriar, darlos vuelta y esperar a que se sequen.
- Rinde 10 raciones

Receta de Aurora Fuentes Cabrera

Arroz con leche a la manera antigua

250 g	*piloncillo rallado*
1	*taza de arroz*
1	*litro de leche*
1	*raja de canela*
·	*cáscara de naranja*

- Remojar el arroz en agua caliente quince minutos.
- Lavarlo con agua fría y ponerlo en el fuego con medio litro de agua, canela y cáscara de naranja.
- Agregarle la leche y el piloncillo; dejar espesar.
- Rinde 6 raciones

Receta de Silvia Téllez Pimentel

Merengues de chocolate

150 g azúcar glass cernida
125 g chocolate amargo rallado
75 g almendras picadas finamente
5 claras de huevo
· mantequilla

- Batir las claras a punto de turrón; agregar suavemente y con movimientos envolventes, azúcar, chocolate y almendras; mezclar y colocar en una bolsa con duya.
- Preparar los merengues, de diez centímetros de longitud, sobre moldes de horno engrasados con mantequilla.
- Meter al horno durante media hora aproximadamente, a fuego suave. Apagar el horno. No sacar los merengues antes de veinte minutos.
- Rinde 6 raciones

Receta de María Eloísa Chávez Quintero

Ungui al estilo de Hidalgo

2 k maíz, seco y molido
500 g piloncillo
450 g manteca
2 tazas de agua
1 cucharada de canela en polvo
1 pizca de anís
· hojas de maíz

- Poner el piloncillo y el agua en el fuego; al espesar la miel, retirar y dejar enfriar.
- Batir la manteca; agregar el maíz, la miel, la canela y el anís hasta obtener una pasta suave.
- En las hojas de maíz, remojadas y escurridas, colocar un poco de la mezcla; doblar las hojas, envolver y cocer a vapor durante una hora.
- Rinde 10 raciones

Receta de María Elena Hernández Carrillo

FESTIVIDADES

LUGAR Y FECHA	CELEBRACIÓN	PLATILLOS REGIONALES
Actopan *Diciembre 12*	**Nuestra Señora de Guadalupe** Se le rinde homenaje a través de una procesión formada por bailarines que ejecutan danzas típicas de la región.	~ Verdolagas con chile verde, empanadas de masa y chícharo, pambacitos, pellizcadas, gorditas, tamal huasteco, conejo con cominos y laurel, nopales, quesadillas, frijoles quebrados, arroz verde, huauzontles capeados en mole rojo, moronga en caldillo, bocoles (gorditas de maíz cocidas en comal con manteca), escamoles, mixiotes, barbacoa, pastes, carnitas, chicharrón, enchiladas, tamales. ~ Charamuscas, pepitorias, condumios, budines, natillas, amerengados, piñonate, cocada, jamoncillos, dulces de leche, frutas cubiertas; panes de piloncillo, queso, cocoles, fruta de horno, pan horneado con leña. ~ Pulque, aguamiel, atoles, aguardiente de caña, vinos fermentados de frutas, chocolate, aguas frescas, champurrado, café endulzado con piloncillo.
Almoloya *Diciembre 8*	**Inmaculada Concepción** Festival en el que se organiza una procesión y se ejecutan diversas danzas (Moros, Arcos y Sacerdotes y la llamada Contradanza).	~ Tacos placeros, tamal huasteco, verdolagas en chile verde, gorditas, arroz verde, mixiotes de pollo, pambacitos, calabacitas rellenas de queso, escamoles fritos, huevo de gallina, mole de frijol ayocote, quelites, moronga, barbacoa, mole, enchiladas de pulque, bocoles, quesadillas, chiles rellenos, longaniza, pastes, carne de res deshebrada, nopales, gallina en chichimeco. ~ Jalea de tuna, palanquetas, tamales morados (de maíz pinto), empanadas dulces, budines, arroz con leche, cocada, natillas, amerengados, dulces de leche, jamoncillos, pepitorias, condumios, pan horneado con leña, cocoles, panes de piloncillo y queso. ~ Café de olla, aguas frescas, pulque natural o curado con frutas, atoles, champurrado, chocolate, aguardiente de caña, vinos de frutas, tibico (bebida agridulce).
Huejutla *Noviembre 2*	**Día de los Fieles Difuntos** En conmemoración de los familiares fallecidos se preparan alimentos especiales que se depositan el día dos de noviembre en un altar que cada familia construye. Como parte de la ceremonia se incluye el Xantolo, danza que ejecutan grupos de bailarines enmascarados a la luz de las velas.	~ Pastes (rellenos de papa y carne molida, herencia de mineros ingleses), setas charras, pollo emplumado enlodado (relleno), verdolagas en chile verde, barbacoa, mole, arroz verde, enchiladas, itacates, tacos placeros, tamales de gallina en chichimeco, longaniza, rellena en salsa verde, huilotas, chalupas, huauzontles capeados, pambacitos, quelites, carnitas y chicharrón, escamoles fritos con huevo de gallina. ~ Frutas cubiertas, pepitorias, condumios, natillas, jalea de tuna, charamuscas, cocada, piñonate, arroz con leche, jamoncillos, dulces de leche; fruta de horno, pan horneado con leña, panes de queso y piloncillo. ~ Atoles, aguamiel, tibico, aguardiente de caña, chocolate, café de olla, champurrado, pulque, vinos de manzana, ciruela, durazno, naranja.

Huichapan
Marzo 19

Señor San José
Se conmemora esta fecha con procesiones religiosas y danzas en honor del santo.

Gorditas, pellizcadas, pambacitos, tamal huasteco, tacos placeros, empanadas de masa y chícharo, bocoles, frijoles quebrados, mole, mixiotes, tacos de chicharrón, quesadillas de pancita, mongues (cueritos de cerdo en vinagre), flor de calabaza con huevo, chalupas, pollo emplumado enlodado, longaniza, pastes, verdolagas en chile verde, barbacoa en caldo, huilotas, papas con hongos, chayotes rellenos, gualumbos (flores de maguey fritas en aceite con sal y cebolla).

Pepitorias, condumios, natilla, cocadas, budines, palanquetas, charamuscas, jamoncillos, dulces de leche, tamal de arroz relleno de mermelada, empanadas dulces, cocoles, pan horneado con leña, panes de piloncillo y queso.

Aguamiel, atoles de masa y de elote, tib[illegible]o, vinos de frutas, chocolate, aguardientes, café endulzado con piloncillo, champurrado, aguas frescas, pulque.

Ixmiquilpan
Mayo 3

La Santa Cruz
Celebración que se efectúa en el barrio del Maye. Hay danzas, música y "limpias" en la capilla. Los niños concurren a la iglesia en compañía de sus padrinos.

Tamal huasteco, chiles rellenos, enchiladas de pulque, tacos placeros, bagres adobados, xaguis (frijoles tiernos cocidos con alguna carne), barbacoa en mixiote, salpicón de res, conejo con comino y laurel, carnitas y chicharrón, quelites en chile verde, chinicuiles (gusanos de maguey tostados en aceite), bocoles, quesadillas, gorditas, pellizcadas, pollo en hongo, moronga en caldillo, palmas, zacahuil, frijoles quebrados.

Cocadas, condumios, amerengados, pepitorias, trompadas, palanquetas, tamales morados, jalea de tuna, arroz con leche, jamoncillos, frutas cubiertas, piñonate, cocoles, frutas de horno, panes de piloncillo y queso, pan horneado con leña.

Atoles, café de olla, aguamiel, vinos fermentados con frutas, pulque, aguardiente de caña, chocolate, champurrado, aguas frescas.

Mapethé
Quinto viernes de Cuaresma (Fecha movible)

Feria del Señor de Mapethé
Se organiza un festival que dura cinco días; los habitantes otomíes de la región acuden en procesión y ejecutan danzas (Matachines, Concheros) en honor del Señor de Mapethé, en medio de fuegos artificiales.

Mole de frijol ayocote, carne de res deshebrada, tacos placeros, platillo huasteco (cecina con limón o naranja, enchiladas con frijol refrito), mongues, verdolagas en chile verde, mixiotes de pollo en olla casera, barbacoa, mole, arroz verde, gallina en chichimeco, gorditas, pastes, zacahuil (tamal de gran tamaño elaborado con masa martajada, relleno de carne de cerdo y guajolote, envuelto con hojas de papatla), calabacitas rellenas de queso, nopales, tulancingueños (pequeñas tortillas de maíz, aderezadas con diversas salsas), pambacitos, pellizcadas, bocoles.

Frutas de horno, cocoles, pan horneado con leña, panes de queso y piloncillo, amerengados, natillas, pepitorias, condumios, tamales morados, cocadas, palanquetas, jalea de tuna, budines, arroz con leche, piñonate, jamoncillos.

Café endulzado con piloncillo, atoles, pulque, champurrado, aguamiel, aguas frescas, aguardiente de caña, vinos de frutas, chocolate.

Metztitlán
Mayo 15

San Isidro Labrador
La imagen de San Isidro la llevan sus fieles a los huertos y campos donde se oficia una misa al aire libre. Los habitantes de la localidad acuden con sus mulas y bueyes decorados; llevan también sus tractores, granos y productos agrícolas adornados con flores y listones, para que el sacerdote los bendiga. Se lleva a cabo un almuerzo y los mariachis interpretan huapangos, famosas y bellas melodías de La Huasteca.

Conejo con comino y laurel, pollo emplumado enlodado, zacahuil, tacos de chicharrón, quesadillas de pancita, barbacoa en caldo, calabacitas rellenas de queso, pellizcadas, enchiladas de pulque, quelites, bagres adobados, pastes, empanadas de masa y chícharo, escamoles, esquites, quelites, longaniza, chichicuilotas con hongos, platillo huasteco, gualumbos, tamales de masa cernida, mongues, chinicuiles, huilotas, pollo en hongo, palmas, xaguis.

Jamoncillos, frutas cubiertas, pepitorias, condumios, jalea de tuna, palanquetas, empanadas dulces, natillas, amerengados, budines, arroz con leche, charamuscas, cocoles, frutas de horno, panes de piloncillo y queso, pan horneado con leña.

Vinos de frutas, aguardientes, pulque, aguamiel, tibico, chocolate, atoles, aguas frescas, champurrado, café endulzado con piloncillo.

Tasquillo
(Fecha movible)
Depende de la Cuaresma

Viernes Santo
Se organiza una solemne procesión en la que los participantes van vestidos con túnicas negras y encapuchados; caminan con imágenes sagradas, antorchas y velas, al son de melodías lúgubres. Espectáculo impresionante en el que se manifiesta fuerte influencia hispana.

Quelites en chile verde o naturales, esquites, quesadillas de flor de calabaza y cuitlacoche, palmas (flores fritas con jitomate, cebolla y sal), nopales, empanadas de masa y chícharo, verdolagas en chile verde, mole rojo, escamoles, bagres adobados, arroz con salsa roja, itacate (gorditas), papas con hongos, chayotes rellenos, chiles rellenos, setas charras, gualumbos, flor de garambullo (flores de cactus cocinadas en tostadas, cuyo sabor es similar al de la carne), ximbo (pescado envuelto en una penca de maguey, de cocimiento similar al de la barbacoa).

Gorditas de pinole, jalea de tuna, tamales morados, arroz con leche, budines, palanquetas, condumios, trompadas, jamoncillos, dulces de leche, piñonate, cocada, amerengados, panes de piloncillo y queso, fruta de horno, cocoles, pan horneado con leña.

Tibico, café de olla, aguamiel, atoles, champurrado, chocolate, pulque, vinos de frutas, aguas frescas.

Tehuetlán
(Fecha movible)
Depende de la Cuaresma

Domingo de Carnaval
Los pobladores de origen náhuatl conmemoran esta fiesta ejecutando diversas danzas; se pintan el cuerpo de negro y tocan la corneta al mismo tiempo que se pelean con machetes.

Xohol (platillo elaborado con masa martajada, endulzado con piloncillo y envuelto en hojas de papatla), zacahuil, verdolagas en chile verde, huilotas, quelites, papas con hongos, arroz verde, mole rojo, mixiotes, huauzontles capeados en mole, platillo huasteco, gualumbos, carnitas y chicharrón, pastes, bocoles, chinicuiles, mongues, pambacitos, chalupas, escamoles, moronga en caldillo, tacos placeros, frijoles quebrados, salpicón de res.

Pan horneado con leña, fruta de horno, panes de piloncillo y queso, cocoles; jaleas de tuna, palanquetas, natillas, amerengados, budines, arroz con leche, gorditas de pinole, pepitorias, condumios, cocadas, empanadas de piloncillo, piñonate, frutas cubiertas, jamoncillos, dulces de leche.

Vinos de frutas (acahul, piña, mora), atoles, aguardientes de caña, aguamiel, aguas frescas, café de olla, chocolate, champurrado, pulque.

Tenango de Doria
Agosto 28

San Agustín
Se organiza una feria popular en honor al Santo Patrono. Hay procesiones, danzas (de los Listones, los Acatlaxquis y el impresionante espectáculo del Palo Volador).

Platillo huasteco, tamales de masa cernida, verdolagas en chile verde, mixiote de pollo en olla casera, pastes, quelites en chile verde, conejo con comino y laurel, salpicón de res, escamoles, carnitas y chicharrón, gorditas, pambacitos, enchiladas de pulque, tacos placeros, arroz verde, calabacitas rellenas de queso, rellena en salsa verde, chinicuiles, nopales, longaniza, gallina en chichimeco, setas charras, flores de garambullo con huevo, mole, mixiote en barbacoa, chavacanes u hojarascas (pequeñas tortillas de maíz que se cuecen en comal), frijoles quebrados.

Jamoncillos, natillas, tamales de arroz rellenos de mermelada, palanquetas, gorditas exquisitas (anís, canela, azúcar, queso de cabra, entre otros ingredientes); budines, arroz con leche, trompadas, frutas cubiertas, condumios, jalea de tuna, cocoles, fruta de horno, panes de piloncillo y queso, pan horneado con leña.

Café endulzado con piloncillo, vinos de frutas, aguamiel, aguardiente, pulque natural o curado, aguas frescas, chocolate, champurrado, tibico.

Tulancingo
Agosto 2

Nuestra Señora de los Angeles
Se organiza una feria popular y comercial que inicia con ceremonias en honor a la Virgen. Se ejecutan varias danzas (del Palo Volador, de los Moros, así como otros bailes típicos de la región, de origen otomí y náhuatl).

Asado al pastor (se hace en el campo, sujetando al carnero a unas horquillas de madera verde y dándole vuelta sobre fuego de leña hasta que esté bien asado; se sirve con salsa borracha a base de pulque), verdolagas en chile verde, zacahuil, empanadas de masa y chícharo, gorditas, pellizcadas, tacos placeros, enchiladas de pulque, platillo huasteco, chichicuilotas con hongos, moronga en caldillo, longaniza, mixiotes de pollo, arroz verde, bocoles, escamoles, pollo emplumado enlodado, mole de frijol ayacote, huauzontles capeados, chinicuiles, carnitas y chicharrón, salpicón de res, conejo con comino y laurel.

Jamoncillos, budines, arroz con leche, frutas cubiertas, gorditas de pinole, jalea de tuna, palanquetas de nuez, pepitorias, condumios, charamuscas, cocadas, natillas, ungui (tamales otomíes con maíz, canela y anís en polvo), mininques de elote (elotes grandes, yemas, canela en rajas y piloncillo), cocoles, fruta de horno, pan horneado con leña.

Tibico, pulque natural o curado con sabores de frutas, atoles de calabaza, de masa y elote; vinos de manzana, durazno, ciruela, naranja, piña, mora, acahul; aguardientes con hierbas que se maceran, como el amargo y el simonillo; aguamiel, chocolate, aguas frescas, champurrados y café endulzado con piloncillo.

Glosario

Acayul (acahul). Licor que se prepara con un frutillo silvestre semejante a la cereza.

Alberjón (arvejón). Guisante, chícharo. Semilla leguminosa comestible.

Atoliapule. Atole de capulín. En la entidad se acostumbran diversos tipos de atole. A más del de capulín y los de otras frutas, pueden citarse como ejemplo el **ayojatoli** (de calabaza) o el **xokoatoli** (atole agrio).

Ayocote (axocote, ayacote). Frijoles gordos, mucho más gruesos que los comunes.

Bagre. Pez sin escamas, comestible, de carne blanca o amarillenta y de pocas espinas, que vive en aguas interiores. Distribuido en varias familias, cambia el tamaño según la especie.

Bocol. De frecuente uso en plural, es el nombre que se da a unas gorditas de maíz, fritas en manteca y cocidas en comal, que se acompañan con otras viandas.

Capulín. Árbol de las rosáceas, propio de tierras templadas y altas, y fruto de dicho árbol. El fruto es semejante a la cereza, en drupa rojiza-oscura. Existen algunas variedades.

Condumio (condumbio). Su acepción original es la del alimento que se acompaña con pan; en varias entidades de la república se aplica a dulces hechos con miel acaramelada y garapiña de nueces, cacahuates, ajonjolí, etcétera.

Cuitlacoche (huitlacoche). Hongo parásito que invade las mazorcas del maíz. Pese a su aspecto poco atractivo, es comestible sabroso, asado o guisado.

Chayote. Planta cucurbitácea de tallos trepadores y vellosos, y su fruto. Éste es piriforme, de cáscara fuerte –espinosa, en ocasiones– y color que va del verde oscuro al amarillento. De pulpa suave y muy digerible, se come cocido. La pepita también es comestible, así como la raíz (**cueza, chayotestle, chinchayote**).

Chichicuilote. Pequeña ave zancuda, de color gris claro y pico largo; habita junto a las aguas y se alimenta de plancton, larvas, etc. Se domestica fácilmente.

Chilacayote. Cucurbitácea, variedad de la calabaza común, y su fruto comestible, de corteza lisa y verde y pulpa fibrosa.

Chile de árbol. Fruto de un arbusto solanáceo que pertenece a la familia de los piquines. Un poco más largo que el chile serrano y muy picante. Seco adquiere color rojo sepia.

Chile guajillo. Se produce en casi todo el país, pero ofrece diferencias según el lugar. Fresco puede ser verde, amarillo o rojo. Mide entre 5 y 11 cm. Suele consumirse seco y presenta entonces un tono sepia-rojizo. En general resulta más picante cuando es más pequeño; el de tamaño grande proporciona sobre todo color y sabor.

Chile morita (mora, chilaile). Es un chile seco, de color rojizo, ligeramente oval, picoso y perfumado. Verde es un tipo de **chile jalapeño,** chico.

Chile verde (serrano). Es un chile de color verde intenso, de 3 a 5 cm. de largo. Enrojece al madurar y adquiere un tono sepia al secarse. Es una de las variedades más utilizadas en la industria de las conservas.

Chinicuiles. Usada mayormente en plural, la voz se refiere a los gusanos de maguey tostados en aceite.

Escamoles. Hormigas de color rojo oscuro y la hueva comestible de estos himenópteros, junto con larvas y pupas.

Esquites. Granos de elote fritos, con sal, epazote y chile en polvo; la palabra se refiere también a los granos de maíz reventados al fuego al tostarlos en comal (**palomitas**).

Garambullo. Se llama así específicamente a un cactácea, cuyo fruto es una especie de tunilla roja del mismo nombre, y a sus flores comestibles, y genéricamente a distintas plantas cubiertas de espinas.

Gorditas. Utilizada usualmente en plural, la voz se aplica a ciertas tortillas de maíz más gruesas y más pequeñas que las comunes, que se suelen conservar suaves mayor tiempo. Si se acompañan con otras viandas, también se les llama **itacate** (envoltorio con provisión de comida que lleva el caminante.)

Gualumbos. Flores de maguey fritas en aceite con cebolla y sal.

Hojarascas (chavacanes). Tortillas pequeñas de maíz, plegadas y cocidas en comal; pueden comerse con sal o con mermelada y otros dulces.

Huauzontle (guazoncle). Verdura de la familia de las quenopodiáceas. Se aprovechan las hojas y las flores aún tiernas. Puestas a secar, se conservan hasta un año.

Huilota. Nombre común de una paloma silvestre, migratoria, abundante en los campos, de color gris tornasol. Recibe denominaciones diversas: "montera", "triguera", etc.

Miahuatamalli. Tamal elaborado con harina de trigo.

Meninques. Desígnase así a los elotes grandes preparados con yemas, piloncillo y canela en rajas.

Mixiote. Piel o epidermis de la penca del maguey. Se aprovecha para hornear o cocer carnes por sus cualidades térmicas e impermeables.

Mixtamalli. Tamal de pescado.

Pascal. Mole regional elaborado con alguna semilla oleaginosa molida con chile y caldo y espesado con masa. Suele ser más sencillo que un pipián, aunque hay muchas variantes en cuanto a sus condimentos.

Pipián (pepián). Aderezo que se elabora con la pasta de semillas aceitosas –mayormente las de calabaza–, molidas y tostadas; por lo general se incorpora, con hierbas finas o especias, a un clemole.

Quiote. Bohordo del mamey, tallo floral estriado que aparece cuando no se extrae aguamiel.

Tibico. Bebida agridulce preparada al fermentarse agua con piloncillo o panocha.

Tlachique. Pulque sin fermentar, acabado de sacar de la mata; pulque delgado.

Ungui. Tamal dulce, de origen otomí, con canela y anís.

Xaguis. Frijoles tiernos cocidos con alguna carne.

Ximbo. Pescado envuelto en penca de maguey y cocido a la barbacoa o por procedimiento semejante.

Xoconostle (soconoscle). Variedad de tuna, agria, que se emplea en la confección de dulces en almíbar y como condimento o ingrediente de algunas salsas y platillos.

Xohol (shójol). Platillo elaborado con masa martajada, canela y coco, endulzado con piloncillo y envuelto en hojas de papatla, que generalmente se toma en el desayuno.

Zacahuil. Tamal huasteco de masa de maíz, de enormes dimensiones, envuelto en hojas de plátano y papatla, cocido en horno de tierra, con relleno de carne de cerdo y guajolote, huilota, etcétera.

NUTRIMENTOS Y CALORÍAS

REQUERIMIENTOS DIARIOS DE NUTRIMENTOS (NIÑOS Y JÓVENES)

Nutrimento	*Menor de 1 año*	*1-3 años*	*3-6 años*	*6-9 años*	*9-12 años*	*12-15 años*	*15-18 años*
Proteínas	2.5 g/k	35 g	55 g	65 g	75 g	75 g	85 g
Grasas	3-4 g/k	34 g	53 g	68 g	80 g	95 g	100 g
Carbohidratos	12-14 g/k	125 g	175 g	225 g	350 g	350 g	450 g
Agua	125-150 ml/k	125 ml/k	125 ml/k	100 ml/k	2-3 litros	2-3 litros	2-3 litros
Calcio	800 mg	1 g	1 g	1 g	1 g	1 g	1 g
Hierro	10-15 mg	15 mg	10 mg	12 mg	15 mg	15 mg	12 mg
Fósforo	1.5 g	1.0 g	1.0 g	1.0 g	1.0 g	1.0 g	0.75 g
Yodo	0.002 mg/k	0.002 mg/k	0.002 mg/k	0.002 mg/k	0.02 mg/k	0.1 mg	0.1 mg
Vitamina A	1500 UI	2000 UI	2500 UI	3500 UI	4500 UI	5000 UI	6000 UI
Vitamina B-1	0.4 mg	0.6 mg	0-8 mg	1.0 mg	1.5 mg	1.5 mg	1.5 mg
Vitamina B-2	0.6 mg	0.9 mg	1.4 mg	1.5 mg	1.8 mg	1.8 mg	1.8 mg
Vitamina C	30 mg	40 mg	50 mg	60 mg	70 mg	80 mg	75 mg
Vitamina D	480 UI	400 UI	400 UI	400 UI	400 UI	400 UI	400 UI

REQUERIMIENTOS DIARIOS DE NUTRIMENTOS (ADULTOS)

Proteínas	1	g/k
Grasas	100	g
Carbohidratos	500	g
Agua	2	litros
Calcio	1	g
Hierro	12	mg
Fósforo	0.75	mg
Yodo	0.1	mg
Vitamina A	6000	UI
Vitamina B-1	1.5	mg
Vitamina B-2	1.8	mg
Vitamina C	75	mg
Vitamina D	400	UI

REQUERIMIENTOS DIARIOS DE CALORÍAS (NIÑOS Y ADULTOS)

		Calorías diarias
Niños	12-14 años	2800 a 3000
	10-12 años	2300 a 2800
	8-10 años	2000 a 2300
	6-8 años	1700 a 2000
	3-6 años	1400 a 1700
	2-3 años	1100 a 1400
	1-2 años	900 a 1100
Adolescentes	Mujer de 14-18 años	2800 a 3000
	Hombres de 14-18 años	3000 a 3400
Mujeres	Trabajo activo	2800 a 3000
	Trabajo doméstico	2600 a 3000
Hombres	Trabajo pesado	3500 a 4500
	Trabajo moderado	3000 a 3500
	Trabajo liviano	2600 a 3000

EQUIVALENCIAS

EQUIVALENCIAS EN MEDIDAS

1	taza de azúcar granulada	250	g
1	taza de azúcar pulverizada	170	g
1	taza de manteca o mantequilla	180	g
1	taza de harina o maizena	120	g
1	taza de pasas o dátiles	150	g
1	taza de nueces	115	g
1	taza de claras	9	claras
1	taza de yemas	14	yemas
1	taza	240	ml

EQUIVALENCIAS EN CUCHARADAS SOPERAS

4	cucharadas de mantequilla sólida	56	g
2	cucharadas de azúcar granulada	25	g
4	cucharadas de harina	30	g
4	cucharadas de café molido	28	g
10	cucharadas de azúcar granulada	125	g
8	cucharadas de azúcar pulverizada	85	g

EQUIVALENCIAS EN MEDIDAS ANTIGUAS

1	cuartillo	2	tazas
1	doble	2	litros
1	onza	28	g
1	libra americana	454	g
1	libra española	460	g
1	pilón	cantidad que se toma con cuatro dedos	

TEMPERATURA DE HORNO EN GRADOS CENTÍGRADOS

Tipo de calor	*Grados*	*Cocimiento*
Muy suave	110°	merengues
Suave	170°	pasteles grandes
Moderado	210°	soufflé, galletas
Fuerte	230°-250°	tartaletas, pastelitos
Muy fuerte	250°-300°	hojaldre

TEMPERATURA DE HORNO EN GRADOS FAHRENHEIT

Suave	350
Moderado	400
Fuerte	475
Muy fuerte	550

Esta obra fue impresa en el mes de febrero de 2001
en los talleres de Litográfica Ingramex, S.A. de C.V.,
que se localizan en la calle de Centeno 162,
colonia Granjas Esmeralda, en la ciudad de México, D.F.
La encuadernación de los ejemplares se hizo
en los talleres de Dinámica de Acabado Editorial, S.A. de C.V.,
que se localizan en la calle de Centeno 4-B,
colonia Granjas Esmeralda, en la ciudad de México, D.F.